하루 10분 서술형/문장제 학습지

# 수학 독해

**D4** 통계와 규칙

초4~초5

Creative to Math

씨투엠

# 수학독해 : 수학을 스스로 읽고 해결하다

객관식이나 간단한 단답형 문제는 자신 있는데 긴 문장이나 풀이 과정을 쓰라는 문제는 어려워하는 아이들이 있어요. 빠르고 정확하게 연산하고 교과 응용문제까지도 곧잘 풀어내지만, 문제 속 상황이 약간만 복잡해지면 문제를 풀려고도 하지 않는 아이들도 많아요. 이러한 아이들에게 부족한 것은 연산 능력이나 문제 해결력보다는 독해력과 표현력입니다. 특히 수학적 텍스트를 이해하고 표현하는 능력, 즉 수학독해력이지요.

요즘 아이들의 독해력이 약해진 가장 큰 이유는 과거에 비해 이야기를 만나는 방식이 다양해졌기 때문이에요. 예전에는 대부분 말이나 글로써만 이야기를 접했어요. 텍스트 위주로 여러 가지 사건을 간접 체험하고, 머릿 속으로 상황을 그려내는 훈련이 자연스럽게 이루어졌지요. 반면 요즘 아이들은 글보다도 TV나 스마트폰 등 영상매체에 훨씬 빨리, 자주 노출되기에 글을 통해 상상을 할 필요가 점점 없어지게 되었습니다.

그렇다고 아이들에게 어렸을 때부터 영화나 애니메이션을 못 보게 하고 책만 읽게 하는 것은 바람직하지 않고, 가능하지도 않아요. 시각 매체는 그 자체로 많은 장점이 있기 때문에 지금의 아이들은 예전 세대에 비해 이미지에 대한 이해력과 적용력이 매우 뛰어나답니다. 문제는 아직까지 모든 학습과 평가 방식이 여전히 텍스트 위주이기 때문에 지금도 아이들에게 독해력이 중요하다는 점이에요. 그래서 저희는 영상 매체에는 익숙하지만 말이나 글에는 약한 아이들을 위한 새로운 수학 독해력 향상 프로그램인 씨투엠 수학독해를 기획하게 되었어요.

씨투엠 수학독해는 기존 문장제/서술형 교재들보다 더욱 쉽고 간단한 학습법을 보여주려 해요. 문제에 있는 문장과 표현 하나하나마다 따로 접근하여 아이들이 어려워하는 포인트를 찾고, 각 포인트마다 직관적인 활동을 통해 독해력과 표현력을 차근차근 끌어올리려고 합니다. 또한 문제 이해와 풀이 서술 과정을 단계별로 세세하게 나누어 문장제, 서술형 문제를 부담 없이 체계적으로 연습할 수 있어요. 새로운 문장제 학습법인 씨투엠 수학독해가 문장제 문제에 특히 어려움을 겪고 있거나 앞으로 서술형 문제를 좀 더 잘 대비하고 싶은 아이들에게 큰 도움이 될 것이라 자신합니다.

# 수학독해의 구성과 특징

- 매일 부담없이 2쪽씩, 하루 10분 문장제 학습
- 매주 5일간 단계별 활동, 6일차는 중요 문장제 확인학습
- 5회분의 진단평가로 테스트 및 복습

## 주차별 구성

**일일학습**

꼬마 수학자들의
간단한 팁과 함께
매일 새롭게 만나는
단계별 문장제 활동

**확인학습**

중요 문장제 활동을
다시 한번 확인하며
주차 학습 마무리

| 1주차 | 1일 | 2일 | 3일 | 4일 | 5일 | 확인학습 |
|---|---|---|---|---|---|---|
| | 6쪽 ~ 7쪽 | 8쪽 ~ 9쪽 | 10쪽 ~ 11쪽 | 12쪽 ~ 13쪽 | 14쪽 ~ 15쪽 | 16쪽 ~ 18쪽 |

| 2주차 | 1일 | 2일 | 3일 | 4일 | 5일 | 확인학습 |
|---|---|---|---|---|---|---|
| | 20쪽 ~ 21쪽 | 22쪽 ~ 23쪽 | 24쪽 ~ 25쪽 | 26쪽 ~ 27쪽 | 28쪽 ~ 29쪽 | 30쪽 ~ 32쪽 |

| 3주차 | 1일 | 2일 | 3일 | 4일 | 5일 | 확인학습 |
|---|---|---|---|---|---|---|
| | 34쪽 ~ 35쪽 | 36쪽 ~ 37쪽 | 38쪽 ~ 39쪽 | 40쪽 ~ 41쪽 | 42쪽 ~ 43쪽 | 44쪽 ~ 46쪽 |

| 4주차 | 1일 | 2일 | 3일 | 4일 | 5일 | 확인학습 |
|---|---|---|---|---|---|---|
| | 48쪽 ~ 49쪽 | 50쪽 ~ 51쪽 | 52쪽 ~ 53쪽 | 54쪽 ~ 55쪽 | 56쪽 ~ 57쪽 | 58쪽 ~ 60쪽 |

## 진단평가 구성

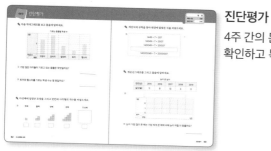

**진단평가**

4주 간의 문장제 학습에서 부족한 부분을
확인하고 복습하기 위한 자가 진단 테스트

| 진단평가 | 1회 | 2회 | 3회 | 4회 | 5회 |
|---|---|---|---|---|---|
| | 62쪽 ~ 63쪽 | 64쪽 ~ 65쪽 | 66쪽 ~ 67쪽 | 68쪽 ~ 69쪽 | 70쪽 ~ 71쪽 |

# 이 책의 차례

✿ 학생들이 좋아하는 음식을 조사하였습니다. 물음에 답하세요.

| 피자 | 떡볶이 | 치킨 | 치킨 | 햄버거 | 김밥 |
| --- | --- | --- | --- | --- | --- |
| 피자 | 피자 | 햄버거 | 떡볶이 | 햄버거 | 치킨 |
| 햄버거 | 떡볶이 | 피자 | 피자 | 피자 | 햄버거 |
| 치킨 | 햄버거 | 김밥 | 피자 | 피자 | 피자 |
| 피자 | 피자 | 햄버거 | 떡볶이 | 치킨 | 피자 |

좋아하는 음식별 학생 수

| 음식 | 피자 | 떡볶이 | 치킨 | 김밥 | 햄버거 | 합계 |
| --- | --- | --- | --- | --- | --- | --- |
| 학생 수(명) | 12 | 4 | 5 | 2 | 7 | 30 |

좋아하는 음식별 학생 수

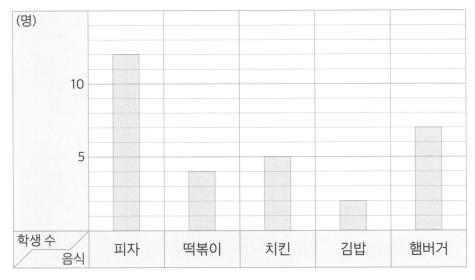

표와 막대그래프의 장점과 단점을 각각 생각해 보자.

✪ 조사한 자료를 막대 모양으로 나타낸 그래프를 무엇이라고 할까요?

막대그래프

① 왼쪽 막대그래프의 가로와 세로는 각각 무엇을 나타낼까요?

_____ , _____

② 왼쪽 막대그래프에서 막대의 길이는 무엇을 나타낼까요?

_____

③ 왼쪽 막대그래프에서 세로 눈금 한 칸은 몇 명을 나타낼까요?

_____

④ 표와 막대그래프 중 전체 학생 수를 알아보기에 편리한 것은 무엇일까요?

_____

⑤ 표와 막대그래프 중 학생들이 좋아하는 음식을 한눈에 알아보기에 편리한 것은 무엇일까요?

_____

🎨 다음 막대그래프를 보고 물음에 답하세요.

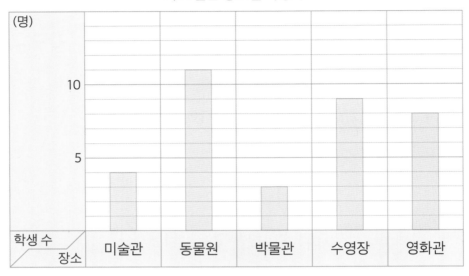

가고 싶은 장소별 학생 수

⭐ 가장 많은 학생들이 가고 싶어하는 장소는 어디일까요?

　　　　　　　　　　　　　　　　　　　　　**동물원**

① 가장 적은 학생들이 가고 싶어하는 장소는 어디일까요?

_____

② 수영장에 가고 싶은 학생은 몇 명일까요?

_____

③ 가고 싶은 학생 수가 미술관의 2배인 장소는 어디일까요?

_____

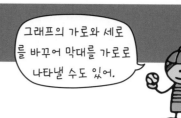

말풍선: 그래프의 가로와 세로를 바꾸어 막대를 가로로 나타낼 수도 있어.

 다음 막대그래프를 보고 물음에 답하세요.

나라별 획득 메달 수

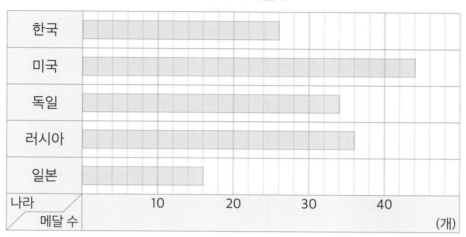

⭐ 가로 눈금 한 칸은 메달 몇 개를 나타낼까요?

2개

① 한국이 획득한 메달은 몇 개일까요?

_____

② 획득한 메달 수가 두 번째로 많은 나라는 어디일까요?

_____

③ 획득한 메달 수가 한국보다 적은 나라는 어디일까요?

_____

# 막대그래프 그리기

🐝 막대그래프를 그리고 물음에 답하세요.

은우의 요일별 책을 읽은 쪽수

| 요일 | 월요일 | 화요일 | 수요일 | 목요일 | 금요일 | 합계 |
|------|--------|--------|--------|--------|--------|------|
| 쪽수(쪽) | 10 | 11 | 5 | 0 | 14 | 40 |

① 

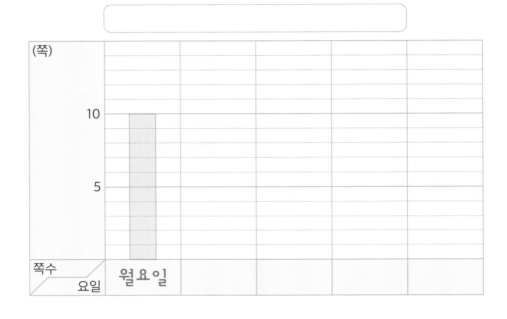

② 은우가 금요일에 읽은 책은 몇 쪽일까요?

_____

③ 월요일보다 많이 읽고, 금요일보다 적게 읽은 날은 언제일까요?

_____

④ 은우가 수영장에 다녀온 다음 날 몸살이 나서 책을 읽지 못했습니다. 수영장에 다녀온 날은 언제일까요?

_____

🐝 막대그래프를 그리고 물음에 답하세요.

좋아하는 색깔별 학생 수

| 색깔 | 빨강 | 노랑 | 초록 | 파랑 | 보라 | 합계 |
|------|------|------|------|------|------|------|
| 학생 수(명) | 18 | 7 | 11 | | 6 | 50 |

① 

|  |  |
|--|--|
| 색깔 / 학생 수 | (명) |

② 파란색을 좋아하는 학생은 몇 명일까요?

③ 노란색과 초록색을 좋아하는 학생 수와 같은 수의 학생들이 좋아하는 색깔은 무엇일까요?

④ 빨간색을 좋아하는 학생 중 절반은 주황색을 좋아하지만 선택지에 없어서 빨간색을 선택했습니다. 주황색을 좋아하는 학생은 몇 명일까요?

🎲 알맞게 표와 그래프를 완성하고 물음에 답하세요.

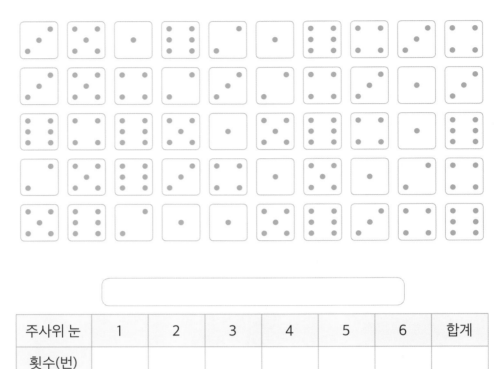

| 주사위 눈 | 1 | 2 | 3 | 4 | 5 | 6 | 합계 |
|---|---|---|---|---|---|---|---|
| 횟수(번) | | | | | | | |

(번)

| | | | | | | |
|---|---|---|---|---|---|---|
| 10 | | | | | | |
| 5 | | | | | | |
| 횟수 / 주사위 눈 | 1 | 2 | 3 | 4 | 5 | 6 |

중복되지 않게 하나씩 차근차근 세면서 표를 완성해야 해.

⭐ 주사위를 굴린 총 횟수는 몇 번일까요?

50번

① 막대그래프의 세로 눈금 한 칸은 몇 번을 나타낼까요?

② 가장 많이 나온 눈의 수는 무엇일까요?

③ 가장 적게 나온 눈의 수는 무엇일까요?

④ 홀수인 눈이 나온 횟수는 몇 번일까요?

⑤ 10번을 더 굴렸더니 각 눈이 나온 횟수가 모두 같아졌습니다. 10번 중 주사위 눈의 수가 3인 경우는 몇 번이었을까요?

✿ 그래프를 보고 바르게 설명한 것은 ○표, 잘못 설명한 것은 ✕표 하세요.

장래 희망별 학생 수(2000년)

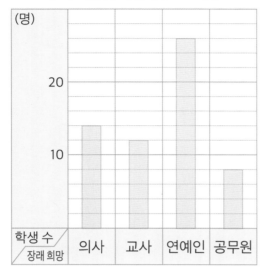

장래 희망별 학생 수(2020년)

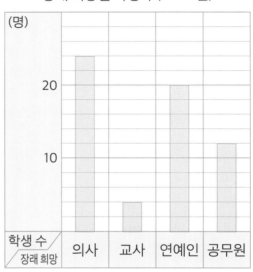

✪ 2000년에 가장 많은 학생들이 희망하는 직업은 연예인입니다. ⬭○

① 2020년에 공무원을 희망하는 학생은 12명입니다.

② 네 직업 중 2000년에 가장 인기 없었던 것은 교사입니다.

③ 20년 사이에 학생 수가 가장 많이 늘어난 장래 희망은 의사입니다.

④ 20년 사이에 연예인이 되고 싶은 학생들이 늘어났습니다.

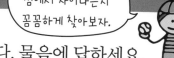

두 그래프가 어떤 점에서 차이나는지 꼼꼼하게 찾아보자.

🌸 같은 조사를 여름과 겨울에 한 번씩 한 결과입니다. 물음에 답하세요.

좋아하는 계절별 학생 수(여름)

좋아하는 계절별 학생 수(겨울)

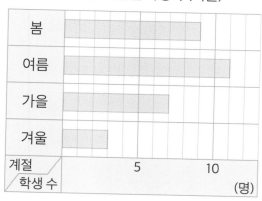

✪ 여름에 조사했을 때 여름을 좋아하는 학생은 몇 명일까요?

8명

① 여름에 조사했을 때 가장 많은 학생들이 좋아하는 계절은 무엇일까요?

② 여름에 비해 겨울에 좋아하는 학생 수가 늘어나는 계절은 무엇일까요?

_____ , _____

③ 조사한 계절에 따라 결과가 다르게 나타나는 이유를 설명해 보세요.

✎ 다음 막대그래프를 보고 물음에 답하세요.

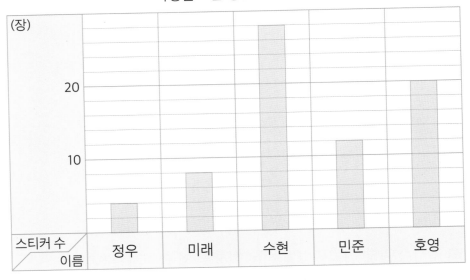

학생별 모은 칭찬 스티커 수

① 세로 눈금 한 칸은 스티커 몇 장을 나타낼까요?

② 모은 칭찬 스티커 수가 두 번째로 적은 사람은 누구일까요?

③ 미래와 민준이가 모은 스티커를 더한 만큼 모은 사람은 누구일까요?

④ 5명이 모은 칭찬 스티커는 모두 몇 장일까요?

막대그래프를 그리고 물음에 답하세요.

반장 선거 후보별 득표 수

| 후보 | 김선우 | 나현아 | 박수민 | 송은지 | 이지예 | 합계 |
|------|--------|--------|--------|--------|--------|------|
| 득표 수(표) | 8 | 6 | | 21 | 5 | 54 |

⑤

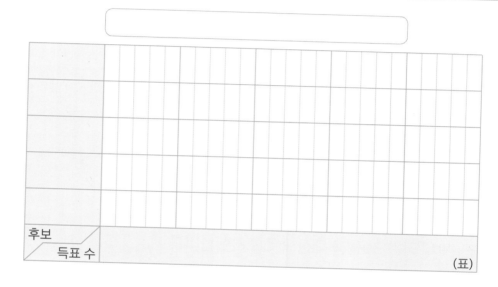

⑥ 박수민 후보가 얻은 표는 몇 표일까요?

_____

⑦ 반장이 된 것은 누구일까요?

_____

⑧ 반 학생들이 한 사람당 2표씩 투표했습니다. 학생 수는 모두 몇 명일까요?

_____

✏️ 그래프를 보고 바르게 설명한 것은 ○표, 잘못 설명한 것은 ✕표 하세요.

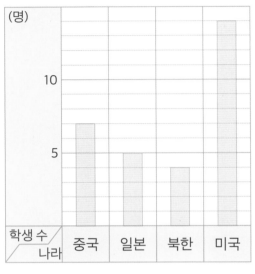

좋아하는 나라별 한국 학생 수

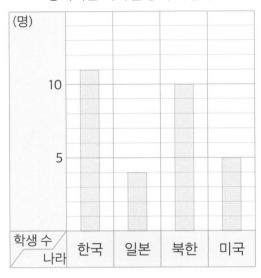

좋아하는 나라별 중국 학생 수

⑨ 두 나라 모두 각각 30명을 대상으로 조사했습니다.

⑩ 가장 많은 한국 학생들이 좋아하는 나라는 중국입니다.

⑪ 한국 학생보다 중국 학생들이 북한을 더 좋아합니다.

⑫ 두 나라의 학생 수를 더했을 때 가장 인기 없는 나라는 북한입니다.

⑬ 좋아하는 나라별 학생 수가 가장 많이 차이나는 나라는 미국입니다.

## 2주차

# 배열 규칙

❀ 수 배열에서 규칙을 찾아 설명하세요.

★

| 3007 | 3107 | 3207 | 3307 | 3407 | 3507 |
|---|---|---|---|---|---|

규칙 __3007__ 부터 시작하여 오른쪽으로 __100__ 씩 커집니다.

① 

| 8650 | 7650 | 6650 | 5650 | 4650 | 3650 |
|---|---|---|---|---|---|

규칙 _____ 부터 시작하여 오른쪽으로 _____ 씩 작아집니다.

② 

| 2325 | 2335 | 2345 | 2355 | 2365 | 2375 |
|---|---|---|---|---|---|

규칙 _____ 부터 시작하여 왼쪽으로 _____ 씩 작아집니다.

③ 

| 1542 | 1442 | 1342 | 1242 | 1142 | 1042 |
|---|---|---|---|---|---|

규칙 _____ 부터 시작하여 왼쪽으로 _____ 씩 커집니다.

가로와 세로에 일정한 규칙으로 수가 배열된 것을 수 배열표라고 해.

🌻 수 배열표를 보고 물음에 답하세요.

+100  +100  +100  +100

| 2002 | 2102 | 2202 | 2302 | 2402 |
| 3002 | 3102 | 3202 | 3302 | 3402 |
| 4002 | 4102 | 4202 | 4302 | 4402 |
| 5002 | 5102 | 5202 | 5302 | 5402 |
| 6002 | 6102 | 6202 | 6302 | 6402 |

⭐ 가로줄의 규칙을 찾아 설명하세요.

[규칙] 2002부터 시작하여 오른쪽으로 ___100___ 씩 커집니다.

[규칙] 6402부터 시작하여 왼쪽으로 ___100___ 씩 작아집니다.

① 세로줄의 규칙을 찾아 설명하세요.

[규칙] 2002부터 시작하여 아래쪽으로 _____ 씩 커집니다.

[규칙] 6402부터 시작하여 위쪽으로 _____ 씩 작아집니다.

② 색칠된 칸의 규칙을 찾아 설명하세요.

[규칙] 2002부터 시작하여 오른쪽 아래로 _____ 씩 커집니다.

[규칙] 6402부터 시작하여 왼쪽 위로 _____ 씩 작아집니다.

🎨 수 배열표를 보고 물음에 답하세요.

| +10 | +10 | +10 | +10 | |
|---|---|---|---|---|
| 13531 | 13541 | 13551 | 13561 | 13571 |
| 23531 | 23541 | 23551 | 23561 | 23571 |
| 33531 | 33541 | 33551 | 33561 | 33571 |
| 43531 | 43541 | 43551 | 43561 | 43571 |
| 53531 | 53541 | 53551 | 53561 | 53571 |

⭐ 가로줄의 규칙을 찾아 설명하세요.

규칙  13531부터 시작하여 오른쪽으로 <u>10씩 커집니다.</u>

① 세로줄의 규칙을 찾아 설명하세요.

규칙  13531부터 시작하여 아래쪽으로 _____

② 색칠된 칸의 규칙을 찾아 설명하세요.

규칙  13531부터 시작하여 오른쪽 아래로 _____

③ 연두색으로 색칠된 칸에 알맞은 수를 구하세요.

_____

🎨 수 배열에서 규칙을 찾고 빈칸에 알맞은 수를 써넣으세요.

⭐

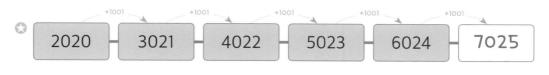

| +1001 | +1001 | +1001 | +1001 | +1001 |

2020 — 3021 — 4022 — 5023 — 6024 — **7025**

규칙 2020부터 시작하여 __1001씩 커집니다.__

① 

7381 — 6371 — 5361 — 4351 — 3341 — ☐

규칙 7381부터 시작하여 _____

② 

80895 — 70795 — 60695 — 50595 — ☐ — 30395

규칙 80895부터 시작하여 _____

③ 

12421 — 23431 — 34441 — ☐ — 56461 — 67471

규칙 12421부터 시작하여 _____

🐝 수 배열에서 규칙을 찾고 빈칸에 알맞은 수를 써넣으세요.

**규칙** 늘어나는 수가 100부터 <u>100씩 커집니다.</u>

① 

**규칙** 늘어나는 수가 10부터 _____

② 

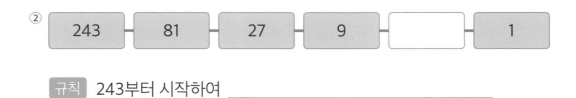

**규칙** 243부터 시작하여 _____

③ 

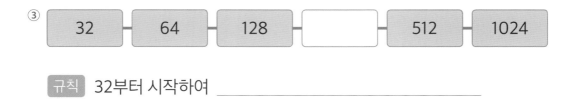

**규칙** 32부터 시작하여 _____

수 배열표에서 규칙을 찾고 빈칸에 알맞은 수를 써넣으세요.

색칠된 칸의 수끼리 계산한 결과와 수 배열표의 수 사이에서 규칙을 찾아봐.

① 

| + | 2012 | 3013 | 4014 | 5015 | 6016 |
|---|---|---|---|---|---|
| 103 | 5 | 6 | 7 | 8 | 9 |
| 204 | 6 | 7 | 8 | 9 | 0 |
| 305 | 7 | 8 | 9 | 0 | 1 |
| 406 | 8 | 9 |  | 1 | 2 |
| 507 | 9 | 0 | 1 | 2 |  |

규칙 _____

② 

| × | 268 | 257 | 246 | 235 | 224 |
|---|---|---|---|---|---|
| 19 | 2 | 3 | 4 | 5 | 6 |
| 18 | 4 | 6 | 8 | 0 | 2 |
| 17 | 6 | 9 | 2 | 5 |  |
| 16 | 8 | 2 | 6 | 0 | 4 |
| 15 | 0 |  | 0 | 5 | 0 |

규칙 _____

도형 배열 규칙(1)

도형 배열에서 규칙을 찾아 설명하세요.

☆

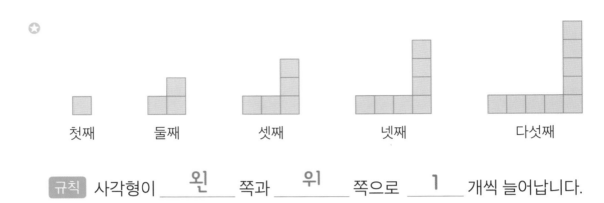

첫째 　　둘째 　　셋째 　　넷째 　　다섯째

규칙  사각형이 ___왼___ 쪽과 ___위___ 쪽으로 ___1___ 개씩 늘어납니다.

①

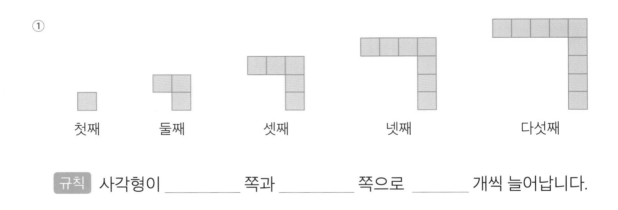

첫째 　　둘째 　　셋째 　　넷째 　　다섯째

규칙  사각형이 _____ 쪽과 _____ 쪽으로 _____ 개씩 늘어납니다.

②

첫째 　　둘째 　　셋째 　　넷째 　　다섯째

규칙  사각형이 _____ 쪽으로 1개, _____ 쪽으로 1개,

_____ 쪽으로 1개씩 늘어나는 것이 반복됩니다.

도형이 늘어나는 방향과 개수, 회전하는 방향을 관찰해야 해.

🎨 도형 배열에서 규칙을 찾아 설명하세요.

⭐

첫째     둘째     셋째     넷째     다섯째

규칙 연두색 사각형을 중심으로 _____시계_____ 방향으로 회전하면서

사각형이 ___2___ 개씩 늘어납니다.

①

첫째     둘째     셋째     넷째     다섯째

규칙 연두색 사각형을 중심으로 _____ 방향으로 회전하면서

사각형이 _____ 개씩 늘어납니다.

②

첫째     둘째     셋째     넷째     다섯째

규칙 연두색 사각형을 중심으로 _____ 방향으로 회전하면서

사각형이 늘어나는 개수가 2부터 _____ 씩 커집니다.

도형 배열 규칙(2)

🌸 다섯째에 알맞은 모양을 그리고 빈칸에 사각형의 개수를 써넣으세요.

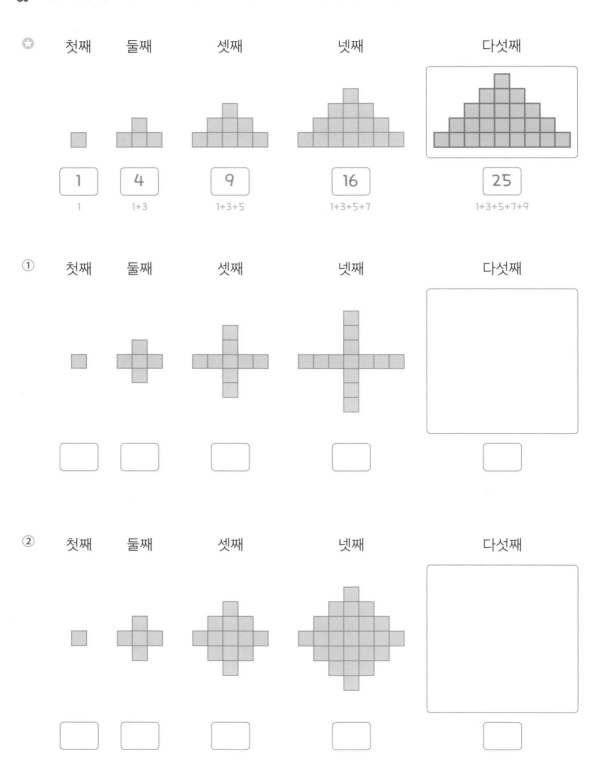

☆ 첫째　둘째　셋째　넷째　다섯째

| 1 | 4 | 9 | 16 | 25 |
|---|---|---|---|---|
| 1 | 1+3 | 1+3+5 | 1+3+5+7 | 1+3+5+7+9 |

① 첫째　둘째　셋째　넷째　다섯째

② 첫째　둘째　셋째　넷째　다섯째

✿ 규칙을 찾아 다섯째에 알맞은 사각형의 개수를 구하세요.

① 
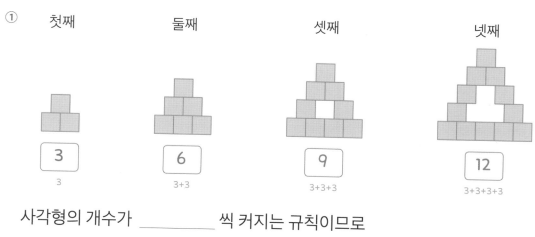

첫째    둘째    셋째    넷째

3    6    9    12

3    3+3    3+3+3    3+3+3+3

사각형의 개수가 _____ 씩 커지는 규칙이므로

다섯째에 알맞은 사각형의 개수는 _____ 개입니다.

② 
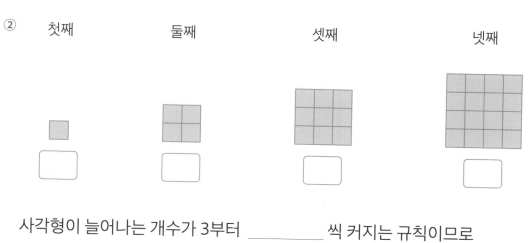

첫째    둘째    셋째    넷째

사각형이 늘어나는 개수가 3부터 _____ 씩 커지는 규칙이므로

다섯째에 알맞은 사각형의 개수는 _____ 개입니다.

✎ 수 배열표를 보고 물음에 답하세요.

| | | | | |
|---|---|---|---|---|
| 20107 | 30107 | 40107 | 50107 | 60107 |
| 20106 | 30106 | 40106 | 50106 | 60106 |
| 20105 | 30105 | 40105 | 50105 | 60105 |
| 20104 | 30104 | 40104 | 50104 | 60104 |
| 20103 | 30103 | 40103 | 50103 | 60103 |

① 가로줄의 규칙을 찾아 설명하세요.

    규칙 20103부터 시작하여 오른쪽으로 _____

② 세로줄의 규칙을 찾아 설명하세요.

    규칙 20103부터 시작하여 위쪽으로 _____

③ 색칠된 칸의 규칙을 찾아 설명하세요.

    규칙 20103부터 시작하여 오른쪽 위로 _____

④ 연두색으로 색칠된 칸에 알맞은 수를 구하세요.

    _____

✎ 수 배열표에서 규칙을 찾고 빈칸에 알맞은 수를 써넣으세요.

⑤

| - | 3443 | 4444 | 5445 | 6446 | 7447 |
|---|------|------|------|------|------|
| 365 | 8 | 9 | 0 | 1 | 2 |
| 466 | 7 | 8 | 9 | 0 | 1 |
| 567 | 6 | 7 |  | 9 | 0 |
| 668 | 5 | 6 | 7 | 8 | 9 |
| 769 | 4 | 5 | 6 |  | 8 |

규칙 _____

⑥

| ÷ | 144 | 143 | 142 | 141 | 140 |
|---|-----|-----|-----|-----|-----|
| 3 | 0 | 2 | 1 | 0 | 2 |
| 4 | 0 | 3 | 2 | 1 | 0 |
| 5 | 4 | 3 | 2 |  | 0 |
| 6 | 0 |  | 4 | 3 | 2 |
| 7 | 4 | 3 | 2 | 1 | 0 |

규칙 _____

✎ 규칙을 찾아 다섯째에 알맞은 사각형의 개수를 구하세요.

⑦

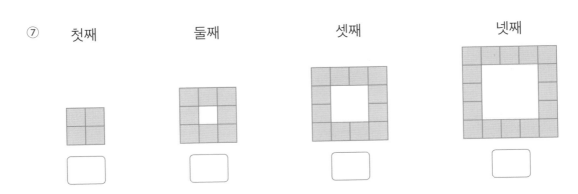

첫째　　　　둘째　　　　셋째　　　　넷째

사각형의 개수가 _____ 씩 커지는 규칙이므로

다섯째에 알맞은 사각형의 개수는 _____ 개입니다.

⑧

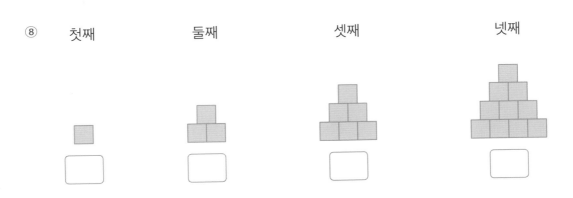

첫째　　　　둘째　　　　셋째　　　　넷째

사각형이 늘어나는 개수가 2부터 _____ 씩 커지는 규칙이므로

다섯째에 알맞은 사각형의 개수는 _____ 개입니다.

# 3주차

# 계산 규칙

✿ 계산식에서 규칙을 찾아 설명하세요.

☆

$$123 + 305 = 428$$
$$133 + 315 = 448$$
$$143 + 325 = 468$$
$$153 + 335 = 488$$
$$163 + 345 = 508$$

규칙 십의 자리가 각각 1씩 커지는 두 수의 합은 ___20___ 씩 커집니다.

①

$$313 + 235 = 548$$
$$323 + 235 = 558$$
$$333 + 235 = 568$$
$$343 + 235 = 578$$
$$353 + 235 = 588$$

규칙 더하는 수의 십의 자리가 1씩 커지면 두 수의 합은 _____ 씩 커집니다.

②

$$786 - 105 = 681$$
$$786 - 205 = 581$$
$$786 - 305 = 481$$
$$786 - 405 = 381$$
$$786 - 505 = 281$$

규칙 빼는 수의 백의 자리가 1씩 커지면 두 수의 차는 _____ 씩 작아집니다.

✿ 계산식의 규칙을 찾아 빈칸에 알맞은 식을 써넣으세요.

⭐

$$345 - 132 = 213$$
$$445 - 232 = 213$$
$$545 - 332 = 213$$
$$645 - 432 = 213$$
$$745 - 532 = 213$$

같은 자리의 수가 똑같이 커지는 두 수의 차는 항상 일정합니다.

①

$$238 + 120 = 358$$
$$338 + 220 = 558$$
$$438 + 320 = 758$$

$$638 + 520 = 1158$$

②

$$486 - 303 = 183$$
$$476 - 303 = 173$$
$$466 - 303 = 163$$
$$456 - 303 = 153$$

🎨 계산식의 규칙을 찾아 빈칸에 알맞은 식을 써넣으세요.

⭐

$$3000 + 9000 = 12000$$
$$13000 + 9000 = 22000$$
$$23000 + 9000 = 32000$$
$$33000 + 9000 = 42000$$
$$43000 + 9000 = 52000$$

더하는 수의 만의 자리가 1씩 커지면 두 수의 합은 10000씩 커집니다.

①

$$98765 - 2000 = 96765$$
$$98765 - 3000 = 95765$$
$$98765 - 4000 = 94765$$

$$\phantom{98765 - 5000 = 93765}$$

$$98765 - 6000 = 92765$$

②

$$43000 + 7000 = 50000$$
$$33000 + 17000 = 50000$$

$$\phantom{23000 + 27000 = 50000}$$

$$13000 + 37000 = 50000$$
$$3000 + 47000 = 50000$$

더하거나 빼는 수와
계산 결과 사이에서
규칙을 발견해야 해.

🎨 규칙적인 계산식을 보고 물음에 답하세요.

| 순서 | 계산식 |
|------|--------|
| 첫째 | 1400 – 200 + 600 = 1800 |
| 둘째 | 1500 – 300 + 700 = 1900 |
| 셋째 | 1600 – 400 + 800 = 2000 |
| 넷째 | 1700 – 500 + 900 = 2100 |
| 다섯째 | 1800 – 600 + 1000 = 2200 |

① 계산식의 규칙을 찾아 설명하세요.

> 규칙 더하는 수 2개가 각각 _____ 씩 커지고, 빼는 수 1개가 _____ 씩
>
> 커지면 계산 결과는 _____ 씩 커집니다.

② 여섯째에 알맞은 계산식을 써 보세요.

식 : _____

③ 규칙에 따라 계산 결과가 2500인 계산식을 써 보세요.

식 : _____

# 곱셈식과 나눗셈식 규칙(1)

🐝 계산식에서 규칙을 찾아 설명하세요.

☆

$$10 \times 11 = 110$$
$$20 \times 11 = 220$$
$$30 \times 11 = 330$$
$$40 \times 11 = 440$$
$$50 \times 11 = 550$$

규칙 11과 곱하는 수가 10씩 커지면 두 수의 곱은 ___110___ 씩 커집니다.

①

$$12 \times 100 = 1200$$
$$12 \times 200 = 2400$$
$$12 \times 300 = 3600$$
$$12 \times 400 = 4800$$
$$12 \times 500 = 6000$$

규칙 12와 곱하는 수가 100씩 커지면 두 수의 곱은 _____ 씩 커집니다.

②

$$100 \div 25 = 4$$
$$200 \div 25 = 8$$
$$400 \div 25 = 16$$
$$800 \div 25 = 32$$
$$1600 \div 25 = 64$$

규칙 나누어지는 수가 2배가 되면 몫은 _____ 배가 됩니다.

🐝 계산식의 규칙을 찾아 빈칸에 알맞은 식을 써넣으세요.

⭐

$$66 \div 2 = 33$$
$$132 \div 4 = 33$$
$$198 \div 6 = 33$$
$$264 \div 8 = 33$$
$$330 \div 10 = 33$$

나누어지는 수가 2배, 3배, 4배로 커지고 나누는 수도 2배, 3배, 4배로 커지면 몫은 일정합니다.

①

$$22 \times 100 = 2200$$
$$22 \times 200 = 4400$$
$$22 \times 300 = 6600$$

$$22 \times 500 = 11000$$

②

$$2222 \div 101 = 22$$
$$3333 \div 101 = 33$$
$$4444 \div 101 = 44$$

$$6666 \div 101 = 66$$

# 곱셈식과 나눗셈식 규칙(2)

계산식의 규칙을 찾아 빈칸에 알맞은 식을 써넣으세요.

☆

$$10 \times 1024 = 10240$$
$$20 \times 512 = 10240$$
$$40 \times 256 = 10240$$
$$80 \times 128 = 10240$$
$$160 \times 64 = 10240$$

곱하는 수 하나가 2배가 되고, 나머지 하나가 절반이 되면 곱은 일정합니다.

①

$$22220 \div 11 = 2020$$
$$33330 \div 11 = 3030$$
$$44440 \div 11 = 4040$$

$$66660 \div 11 = 6060$$

②

$$5 \times 107 = 535$$
$$5 \times 1007 = 5035$$

$$5 \times 100007 = 500035$$
$$5 \times 1000007 = 5000035$$

힘들게 계산하지 않아도 계산식의 규칙으로 답을 알 수 있어.

🎨 규칙적인 계산식을 보고 물음에 답하세요.

| 순서 | 계산식 |
|---|---|
| 첫째 | 1 × 1 = 1 |
| 둘째 | 11 × 11 = 121 |
| 셋째 | 111 × 111 = 12321 |
| 넷째 | 1111 × 1111 = 1234321 |
| 다섯째 | |

① 계산식의 규칙을 찾아 설명하세요.

규칙  곱하는 수의 1이 각각 _____ 개씩 늘어나면 두 수의 곱은

한 자리 수, 세 자리 수, 다섯 자리 수와 같이 _____ 자리씩 커지고,

가운데 자리를 중심으로 접으면 같은 수가 만나는 수가 됩니다.

② 다섯째에 알맞은 계산식을 써 보세요.

식 : _____

③ 규칙에 따라 계산 결과가 열한 자리인 계산식을 써 보세요.

식 : _____

규칙적인 계산식

🌸 수 배열표를 보고 빈칸에 알맞은 식을 써넣으세요.

| 201 | 204 | 207 | 210 | 213 | 216 |
|-----|-----|-----|-----|-----|-----|
| 202 | 205 | 208 | 211 | 214 | 217 |
| 203 | 206 | 209 | 212 | 215 | 218 |

① 

$201 + 205 = 202 + 204$

$204 + 208 = 205 + 207$

$207 + 211 = 208 + 210$

[                                   ]

② 

$201 + 202 + 203 = 202 \times 3$

$204 + 205 + 206 = 205 \times 3$

$207 + 208 + 209 = 208 \times 3$

[                                   ]

③ 

$201 + 204 + 207 = 204 \times 3$

$204 + 207 + 210 = 207 \times 3$

$207 + 210 + 213 = 210 \times 3$

[                                   ]

수 배열표에서 합이 같은 두 수의 쌍을 찾아 해결하면 돼.

✿ 달력을 보고 색칠된 칸의 수의 합을 구하세요.

☆

|  |  | 1 | 2 | 3 | 4 | 5 | 6 |
|---|---|---|---|---|---|---|---|
| 7 | 8 | 9 | 10 | 11 | 12 | 13 |
| 14 | 15 | 16 | 17 | 18 | 19 | 20 |
| 21 | 22 | 23 | 24 | 25 | 26 | 27 |
| 28 | 29 | 30 | 31 |  |  |  |

식 : _____ 14 + 15 + 16 = 15 × 3 = 45 _____

답 : ___45___

① 

|  |  |  | 1 | 2 | 3 | 4 |
|---|---|---|---|---|---|---|
| 5 | 6 | 7 | 8 | 9 | 10 | 11 |
| 12 | 13 | 14 | 15 | 16 | 17 | 18 |
| 19 | 20 | 21 | 22 | 23 | 24 | 25 |
| 26 | 27 | 28 | 29 | 30 |  |  |

식 : _____

답 : _____

② 

|  |  |  |  |  | 1 | 2 |
|---|---|---|---|---|---|---|
| 3 | 4 | 5 | 6 | 7 | 8 | 9 |
| 10 | 11 | 12 | 13 | 14 | 15 | 16 |
| 17 | 18 | 19 | 20 | 21 | 22 | 23 |
| 24 | 25 | 26 | 27 | 28 | 29 |  |

식 : _____

답 : _____

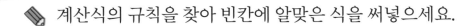

✏️ 계산식의 규칙을 찾아 빈칸에 알맞은 식을 써넣으세요.

① 
2020 + 105 = 2125

2120 + 205 = 2325

2220 + 305 = 2525

2420 + 505 = 2925

② 
9700 − 200 = 9500

8700 − 1200 = 7500

6700 − 3200 = 3500

5700 − 4200 = 1500

③ 
12000 + 3000 = 15000

22000 + 4000 = 26000

32000 + 5000 = 37000

42000 + 6000 = 48000

✏️ 규칙적인 계산식을 보고 물음에 답하세요.

| 순서 | 계산식 |
|------|--------|
| 첫째 | $1 \times 9 + 1 = 10$ |
| 둘째 | $21 \times 9 + 11 = 200$ |
| 셋째 | $321 \times 9 + 111 = 3000$ |
| 넷째 | $4321 \times 9 + 1111 = 40000$ |
| 다섯째 | |

④ 계산식의 규칙을 찾아 설명하세요.

규칙　1, 21, 321……과 같이 자릿수가 하나씩 늘어난 수에 9를 곱하고,

1, 11, 111……과 같이 1이 ＿＿＿＿＿ 개씩 늘어나는 수를 더하면 계산 결과는

자릿수가 하나씩 늘어나면서 가장 높은 자리 수가 ＿＿＿＿＿ 씩 커집니다.

⑤ 다섯째에 알맞은 계산식을 써 보세요.

식 : ＿＿＿＿＿＿＿＿＿＿＿＿＿＿＿＿＿＿＿＿

⑥ 규칙에 따라 계산 결과가 6000000인 계산식을 써 보세요.

식 : ＿＿＿＿＿＿＿＿＿＿＿＿＿＿＿＿＿＿＿＿

✎ 달력을 보고 색칠된 부분의 합을 구하세요.

⑦

|   | 1 | 2 | 3 | 4 | 5 | 6 |
|---|---|---|---|---|---|---|
| 7 | 8 | 9 | 10 | 11 | 12 | 13 |
| 14 | 15 | 16 | 17 | 18 | 19 | 20 |
| 21 | 22 | 23 | 24 | 25 | 26 | 27 |
| 28 |   |   |   |   |   |   |

식 : _____     답 : _____

⑧

|   |   |   |   | 1 | 2 | 3 |
|---|---|---|---|---|---|---|
| 4 | 5 | 6 | 7 | 8 | 9 | 10 |
| 11 | 12 | 13 | 14 | 15 | 16 | 17 |
| 18 | 19 | 20 | 21 | 22 | 23 | 24 |
| 25 | 26 | 27 | 28 | 29 | 30 | 31 |

식 : _____     답 : _____

⑨

| 1 | 2 | 3 | 4 | 5 | 6 | 7 |
|---|---|---|---|---|---|---|
| 8 | 9 | 10 | 11 | 12 | 13 | 14 |
| 15 | 16 | 17 | 18 | 19 | 20 | 21 |
| 22 | 23 | 24 | 25 | 26 | 27 | 28 |
| 29 | 30 |   |   |   |   |   |

식 : _____     답 : _____

# 4주차

# 꺾은선그래프

# 막대그래프와 꺾은선그래프

✿ 다음 그래프를 보고 물음에 답하세요.

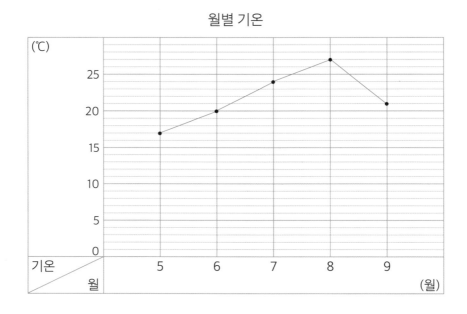

월별 기온

⭐ 위와 같은 그래프를 무슨 그래프라고 할까요?

꺾은선그래프

① 꺾은선그래프의 가로와 세로는 각각 무엇을 나타낼까요?

_____ , _____

② 꺾은선은 무엇을 나타낼까요?

_____

③ 꺾은선그래프에서 세로 눈금 한 칸은 몇 ℃를 나타낼까요?

_____

수량을 점으로 표시하고 점들을 이어 그린 것을 꺾은선그래프라고 해.

✿ 다음 두 그래프를 보고 물음에 답하세요.

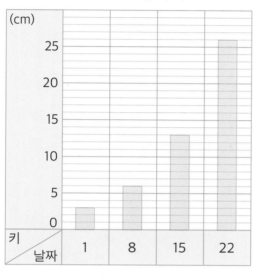

날짜별 강낭콩의 키

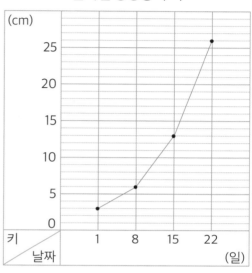

날짜별 강낭콩의 키

① 두 그래프에서 세로 눈금 한 칸은 몇 cm를 나타낼까요?

_____

② 날짜별 강낭콩의 키를 한눈에 알아보기 쉬운 그래프는 어느 것일까요?

_____

③ 강낭콩의 키의 변화를 한눈에 알아보기 쉬운 그래프는 어느 것일까요?

_____

다음 꺾은선그래프를 보고 물음에 답하세요.

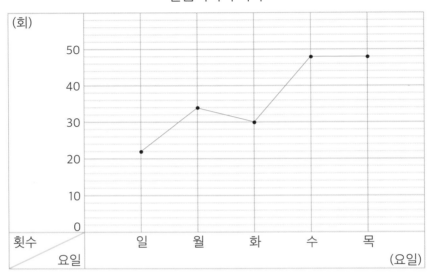

팔굽혀펴기 기록

❂ 꺾은선그래프의 가로와 세로는 각각 무엇을 나타낼까요?

　　　　요일　　　,　　　횟수

① 세로 눈금 한 칸은 몇 회를 나타낼까요?

② 팔굽혀펴기를 가장 많이 한 날은 몇 회 했을까요?

③ 팔굽혀펴기 횟수가 전날에 비해 줄어든 날은 무슨 요일일까요?

그래프에서 가로와 세로가 각각 무엇을 나타내는지 알아내야 해.

🎨 다음 꺾은선그래프를 보고 물음에 답하세요.

강아지의 몸무게

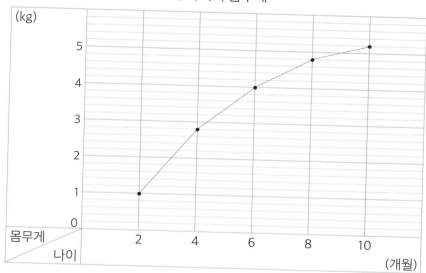

① 꺾은선그래프의 세로 눈금 한 칸은 몇 kg을 나타낼까요?

② 몸무게가 두 달 전에 비해 가장 많이 늘어났을 때는 생후 몇 개월 때인가요?

③ 그래프를 보고 빈칸에 몸무게를 알맞게 써넣으세요.

강아지의 몸무게

| 나이(개월) | 2 | 4 | 6 | 8 | 10 |
|---|---|---|---|---|---|
| 몸무게(kg) | 1 | | | | |

🐝 꺾은선그래프를 그리고 물음에 답하세요.

피아노 연습을 한 시간

| 날짜(일) | 1 | 2 | 3 | 4 | 5 |
|---|---|---|---|---|---|
| 시간(분) | 24 | 38 | 42 | 56 | 30 |

① 

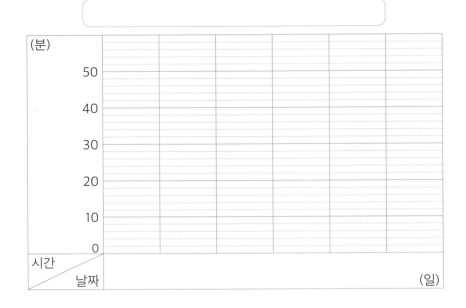

② 세로 눈금 한 칸은 몇 분을 나타낼까요?

③ 피아노 연습을 한 시간이 전날에 비해 줄어든 날은 언제일까요?

④ 1일에서 2일 사이에 피아노 연습을 한 시간은 몇 분 늘어났을까요?

세로 눈금 한 칸을 어떤 값으로 할지 결정해야 해.

🐝 꺾은선그래프를 그리고 물음에 답하세요.

매년 6월에 잰 현민이의 키

| 나이(살) | 7 | 8 | 9 | 10 | 11 |
|---|---|---|---|---|---|
| 키(cm) | 122 | 127 | 133 | 137 | 144 |

① 

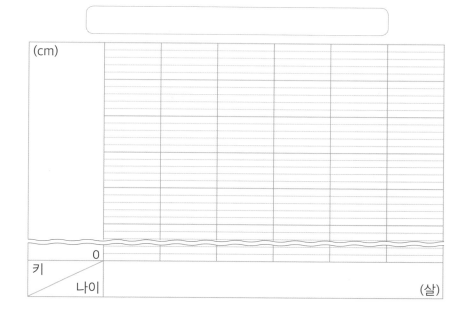

② 세로 눈금 한 칸은 몇 cm를 나타내어야 할까요?

③ 현민이의 키가 가장 많이 자란 때는 몇 살과 몇 살 사이일까요?

④ 현민이가 8살이던 해의 12월에 현민이의 키는 약 몇 cm였을까요?

# 물결선이 있는 꺾은선그래프

🎨 표를 보고 2가지 꺾은선그래프를 그리고 물음에 답하세요.

연평균 기온 변화

| 연도(년) | 1980 | 1990 | 2000 | 2010 | 2020 |
|---|---|---|---|---|---|
| 기온(℃) | 14 | 13.7 | 13.5 | 13 | 12.4 |

(가) 연평균 기온 변화

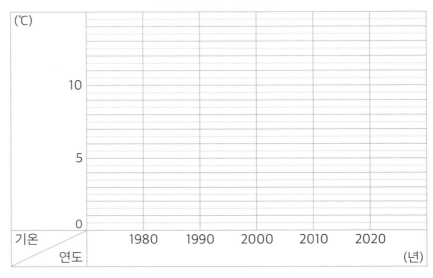

(나) 연평균 기온 변화

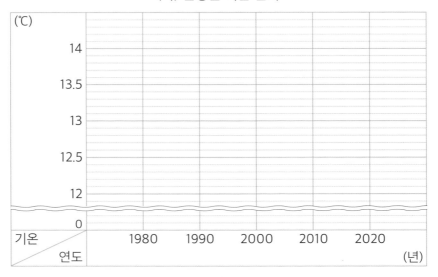

물결선을 이용하면 자료값의 변화를 더 쉽게 관찰할 수 있어.

☘ 두 그래프의 차이점을 설명하세요.

**그래프 (가)는 물결선이 없고, (나)는 물결선이 있습니다.**

① 1980년부터 2020년까지 연평균 기온은 어떻게 변하고 있을까요?

② 연평균 기온이 가장 많이 떨어진 것은 몇 년과 몇 년 사이일까요?

③ 2015년의 연평균 기온은 약 몇 ℃였을까요?

④ 두 그래프 중 연평균 기온의 변화를 더 뚜렷하게 알 수 있는 것은 어느 것일까요?

⑤ 2030년의 연평균 기온은 어떻게 될지 예상해 보세요.

✿ 그래프를 보고 바르게 설명한 것은 ◯표, 잘못 설명한 것은 ✕표 하세요.

7월 1일의 기온 변화

1월 1일의 기온 변화

✪ 7월 1일 정오의 기온은 24 ℃였습니다.

✕

① 1월 1일에 기온이 가장 높았던 시각은 오후 2시였습니다.

② 기온의 변화 폭은 1월 1일이 7월 1일보다 더 큽니다.

③ 1월 1일과 7월 1일의 최고 기온 차는 19 ℃입니다.

④ 두 그래프 모두 기온 변화가 가장 큰 때는 12시에서 오후 1시 사이입니다.

두 그래프에서 수량의 변화를 각각 관찰하여 비교해 봐.

✿ 꺾은선그래프를 보고 물음에 답하세요.

진형이가 간 거리

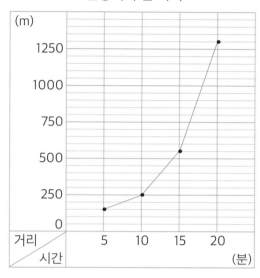

정후가 간 거리

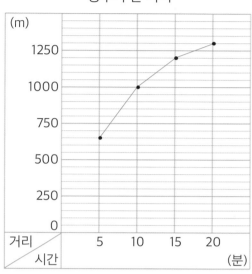

⭐ 세로 눈금 한 칸은 몇 m를 나타낼까요?

$\underline{\qquad 50 \ m}$

① 정후가 출발한 지 5분에서 10분 사이에 간 거리는 몇 m일까요?

② 처음에는 천천히 가다가 나중에는 빠르게 간 사람은 누구일까요?

③ 출발한 지 15분 동안 두 사람이 간 거리의 차는 몇 m일까요?

✎ 다음 꺾은선그래프를 보고 물음에 답하세요.

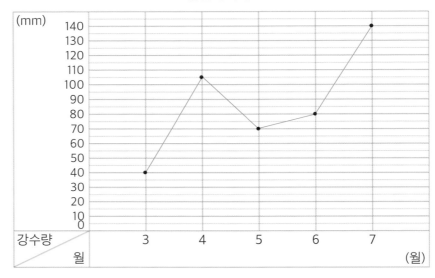

① 꺾은선그래프의 가로와 세로는 각각 무엇을 나타낼까요?

_____ , _____

② 세로 눈금 한 칸은 몇 mm를 나타낼까요?

_____

③ 3월부터 7월까지 비가 가장 많이 온 달은 언제일까요?

_____

④ 6월과 7월 사이에 강수량은 몇 mm 늘어났을까요?

_____

✎ 꺾은선그래프를 그리고 물음에 답하세요.

매년 3월에 잰 서하의 몸무게

| 나이(살) | 8 | 9 | 10 | 11 | 12 |
|---|---|---|---|---|---|
| 몸무게(kg) | 23 | 28 | 31 | 36 | 42 |

⑤

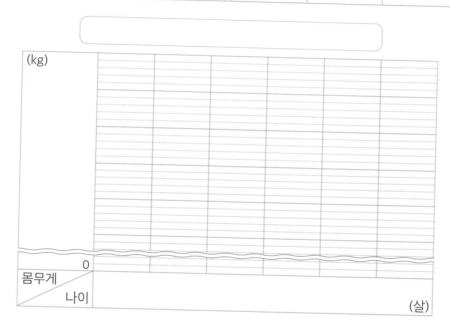

⑥ 세로 눈금 한 칸은 몇 kg을 나타내어야 할까요?

_____

⑦ 서하의 몸무게가 가장 적게 늘어난 때는 몇 살과 몇 살 사이일까요?

_____

⑧ 서하가 11살이던 해의 9월에 서하의 몸무게는 약 몇 kg이었을까요?

_____

✎ 그래프를 보고 바르게 설명한 것은 ○표, 잘못 설명한 것은 ✕표 하세요.

정훈이의 몸무게

민형이의 몸무게

⑨ 세로 눈금 한 칸의 크기는 0.1 kg을 나타냅니다.

⑩ 정훈이의 몸무게는 6월부터 9월까지 계속 늘어났습니다.

⑪ 민형이의 몸무게가 가장 많이 빠진 곳은 6월과 7월 사이입니다.

⑫ 6월에 두 사람의 몸무게 차는 4 kg이었습니다.

⑬ 7월과 8월 사이에 정훈이의 몸무게는 2.2 kg 늘었습니다.

# 진단평가

진단평가에는 앞에서 학습한 4주차의 문장제 활동이 순서대로 나옵니다. 잘못 푼 문제가 있으면 몇 주차인지 확인하여 반드시 한 번 더 복습해 봅니다.

1주차

3주차

2주차

4주차

✎ 다음 막대그래프를 보고 물음에 답하세요.

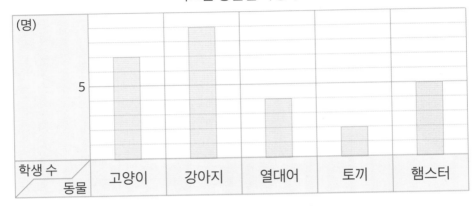

기르는 동물별 학생 수

① 가장 많은 아이들이 기르고 있는 동물은 무엇일까요?

_____

② 토끼와 햄스터를 기르는 학생 수는 몇 명일까요?

_____

✎ 다섯째에 알맞은 모양을 그리고 빈칸에 사각형의 개수를 써넣으세요.

③

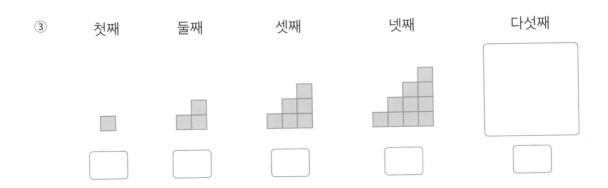

✎ 계산식의 규칙을 찾아 빈칸에 알맞은 식을 써넣으세요.

④

$$1449 \div 7 = 207$$

$$14049 \div 7 = 2007$$

$$140049 \div 7 = 20007$$

$$\boxed{\phantom{1400049 \div 7 = 200007}}$$

$$14000049 \div 7 = 2000007$$

✎ 꺾은선그래프를 그리고 물음에 답하세요.

눈이 온 날수

| 연도(년) | 2015 | 2016 | 2017 | 2018 | 2019 |
|---|---|---|---|---|---|
| 날수(일) | 5 | 8 | 13 | 3 | 11 |

⑤

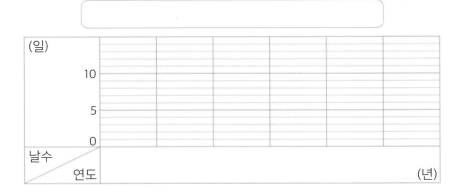

⑥ 눈이 가장 많이 온 해는 가장 적게 온 해에 비해 눈이 며칠 더 왔을까요?

✎ 다음 막대그래프를 보고 물음에 답하세요.

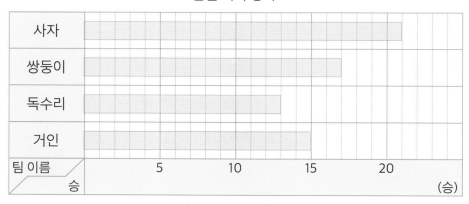

팀별 획득 승 수

① 15승을 획득한 팀은 어디일까요?

_____

② 1승마다 승점이 3점씩 주어질 때 사자 팀의 승점은 몇 점일까요?

_____

✎ 수 배열에서 규칙을 찾아 설명하세요.

③

| 6188 | 6288 | 6388 | 6488 | 6588 | 6688 |
|------|------|------|------|------|------|

규칙  _____ 부터 시작하여 오른쪽으로 _____ 씩 커집니다.

④

| 4090 | 5090 | 6090 | 7090 | 8090 | 9090 |
|------|------|------|------|------|------|

규칙  _____ 부터 시작하여 왼쪽으로 _____ 씩 작아집니다.

✎ 수 배열표를 보고 빈칸에 알맞은 식을 써넣으세요.

| 103 | 105 | 107 | 109 | 111 | 113 |
|-----|-----|-----|-----|-----|-----|
| 104 | 106 | 108 | 110 | 112 | 114 |

⑤

$$103 + 106 = 104 + 105$$
$$105 + 108 = 106 + 107$$
$$107 + 110 = 108 + 109$$

✎ 표를 보고 꺾은선그래프를 그려 보세요.

육상 선수의 100m 최고 기록

| 연도(년) | 2013 | 2014 | 2015 | 2016 | 2017 |
|---------|------|------|------|------|------|
| 기록(초) | 14.1 | 13.6 | 13.3 | 13.1 | 13 |

⑥

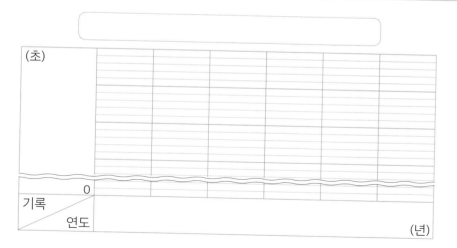

✎ 표를 보고 막대그래프를 그려 보세요.

가고 싶은 나라별 학생 수

| 나라 | 일본 | 중국 | 캐나다 | 영국 | 미국 | 합계 |
| --- | --- | --- | --- | --- | --- | --- |
| 학생 수(명) | 3 | 3 | 8 | 4 | 7 | 25 |

①

✎ 수 배열에서 규칙을 찾아 빈칸에 알맞은 수를 써넣으세요.

②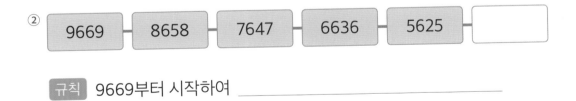

규칙  9669부터 시작하여 _____

③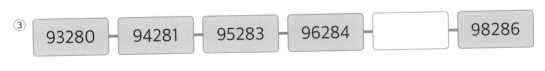

규칙  93280부터 시작하여 _____

✎ 계산식에서 규칙을 찾아 설명하세요.

④

> 778 – 575 = 203
> 778 – 565 = 213
> 778 – 555 = 223
> 778 – 545 = 233
> 778 – 535 = 243

규칙 빼는 수의 십의 자리가 1씩 작아지면 두 수의 차는 _____ 씩 커집니다.

✎ 다음 꺾은선그래프를 보고 물음에 답하세요.

주영이의 통장 잔액

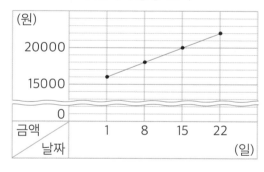

지민이의 통장 잔액

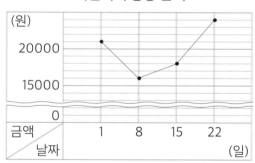

⑤ 주영이는 매주 일정한 금액을 저금했습니다. 저금한 금액은 얼마일까요?

_____

⑥ 두 사람의 통장 잔액 차가 가장 큰 날은 언제였을까요?

_____

✎ 표를 완성하고 막대그래프를 그려 보세요.

① 좋아하는 계절별 학생 수

| 계절 | 봄 | 여름 | 가을 | 겨울 | 합계 |
|---|---|---|---|---|---|
| 학생 수(명) | 8 | 14 | 10 | | 35 |

②

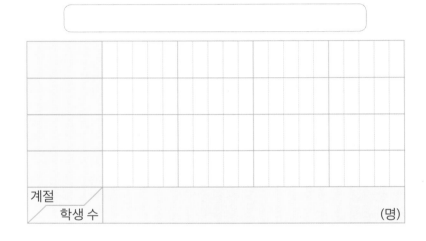

✎ 수 배열에서 규칙을 찾아 빈칸에 알맞은 수를 써넣으세요.

③

| 7432 | 7332 | 7132 | 6832 | 6432 | |

규칙 줄어드는 수가 100부터 _____

④

| 4 | 12 | 36 | 108 | | 972 |

규칙 4부터 시작하여 _____

✎ 계산식의 규칙을 찾아 빈칸에 알맞은 식을 써넣으세요.

⑤

13456 − 2151 = 10305

14456 − 3151 = 10305

15456 − 4151 = 10305

17456 − 6151 = 10305

✎ 다음 꺾은선그래프를 보고 물음에 답하세요.

하루 동안의 기온

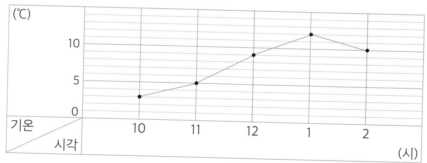

⑥ 꺾은선그래프에서 세로 눈금 한 칸은 몇 ℃를 나타낼까요?

⑦ 하루 중 가장 기온이 높을 때는 몇 시 정각일까요?

✎ 다음 막대그래프를 보고 물음에 답하세요.

좋아하는 구기 종목별 남학생 수

좋아하는 구기 종목별 여학생 수

① 남학생들에게는 가장 인기가 많고 여학생들에게는 가장 인기가 없는 구기 종목은 무엇일까요?

_____

② 농구를 좋아하는 학생은 모두 몇 명일까요?

_____

✎ 도형 배열에서 규칙을 찾아 설명하세요.

③

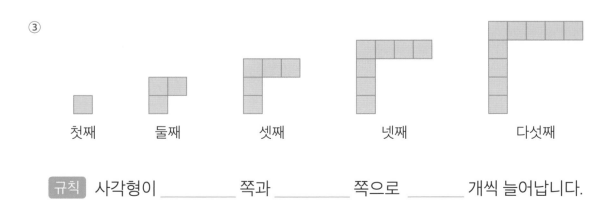

첫째    둘째    셋째    넷째    다섯째

규칙  사각형이 _____ 쪽과 _____ 쪽으로 _____ 개씩 늘어납니다.

✎ 계산식에서 규칙을 찾아 설명하세요.

④

$$729 \div 1 = 729$$
$$729 \div 3 = 243$$
$$729 \div 9 = 81$$
$$729 \div 27 = 27$$
$$729 \div 81 = 9$$

규칙 나누는 수가 3배가 되면 몫은 ＿＿＿＿＿＿＿ 이 됩니다.

✎ 다음 꺾은선그래프를 보고 물음에 답하세요.

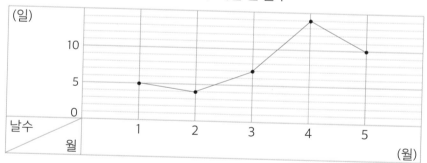

미세먼지가 '나쁨'인 날수

⑤ 미세먼지가 '나쁨'인 날수가 전달에 비해 줄어든 달은 몇 월일까요?

＿＿＿＿＿＿＿＿ , ＿＿＿＿＿＿＿＿

⑥ 미세먼지가 가장 나빴던 달에 '나쁨'이 아닌 날수는 며칠이었을까요?

＿＿＿＿＿＿＿＿＿

하루 10분 서술형/문장제 학습지

씨투엠

# 수학 독해

## 정답

### D4
통계와 규칙

초4~초5

Creative to Math
씨투엠

# 정답

**D4** 통계와 규칙
초4~초5

## P 06 ~ 07

### 1일 표와 막대그래프

표와 막대그래프의 장점과 단점을 각각 생각해 보자.

학생들이 좋아하는 음식을 조사하였습니다. 물음에 답하세요.

| 피자 | 떡볶이 | 치킨 | 치킨 | 햄버거 | 김밥 |
|---|---|---|---|---|---|
| 피자 | 피자 | 햄버거 | 떡볶이 | 햄버거 | 치킨 |
| 햄버거 | 떡볶이 | 피자 | 피자 | 피자 | 햄버거 |
| 치킨 | 햄버거 | 김밥 | 피자 | 피자 | 피자 |
| 피자 | 피자 | 햄버거 | 떡볶이 | 치킨 | 피자 |

좋아하는 음식별 학생 수

| 음식 | 피자 | 떡볶이 | 치킨 | 김밥 | 햄버거 | 합계 |
|---|---|---|---|---|---|---|
| 학생 수(명) | 12 | 4 | 5 | 2 | 7 | 30 |

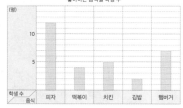

좋아하는 음식별 학생 수

◈ 조사한 자료를 막대 모양으로 나타낸 그래프를 무엇이라고 할까요?

**막대그래프**

① 왼쪽 막대그래프의 가로와 세로는 각각 무엇을 나타낼까요?

**좋아하는 음식** , **학생 수**

② 왼쪽 막대그래프에서 막대의 길이는 무엇을 나타낼까요?

**좋아하는 음식별 학생 수**

③ 왼쪽 막대그래프에서 세로 눈금 한 칸은 몇 명을 나타낼까요?

**1명**

④ 표와 막대그래프 중 전체 학생 수를 알아보기에 편리한 것은 무엇일까요?

**표**

⑤ 표와 막대그래프 중 학생들이 좋아하는 음식을 한눈에 알아보기에 편리한 것은 무엇일까요?

**막대그래프**

## P 08 ~ 09

### 2일 막대그래프 분석(1)

그래프의 가로와 세로를 바꾸어 막대를 가로로 나타낼 수도 있어.

다음 막대그래프를 보고 물음에 답하세요.

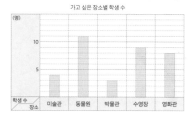

가고 싶은 장소별 학생 수

◈ 가장 많은 학생들이 가고 싶어하는 장소는 어디일까요?

**동물원**

① 가장 적은 학생들이 가고 싶어하는 장소는 어디일까요?

**박물관**

② 수영장에 가고 싶은 학생은 몇 명일까요?

**9명**

③ 가고 싶은 학생 수가 미술관의 2배인 장소는 어디일까요?

**영화관**

다음 막대그래프를 보고 물음에 답하세요.

나라별 획득 메달 수

◈ 가로 눈금 한 칸은 메달 몇 개를 나타낼까요?

**2개**

① 한국이 획득한 메달은 몇 개일까요?

**26개**

② 획득한 메달 수가 두 번째로 많은 나라는 어디일까요?

**러시아**

③ 획득한 메달 수가 한국보다 적은 나라는 어디일까요?

**일본**

## P 10 ~ 11

### 3일 막대그래프 그리기

막대그래프를 그리고 물음에 답하세요.

은우의 요일별 책을 읽은 쪽수

| 요일 | 월요일 | 화요일 | 수요일 | 목요일 | 금요일 | 합계 |
|---|---|---|---|---|---|---|
| 쪽수(쪽) | 10 | 11 | 5 | 0 | 14 | 40 |

①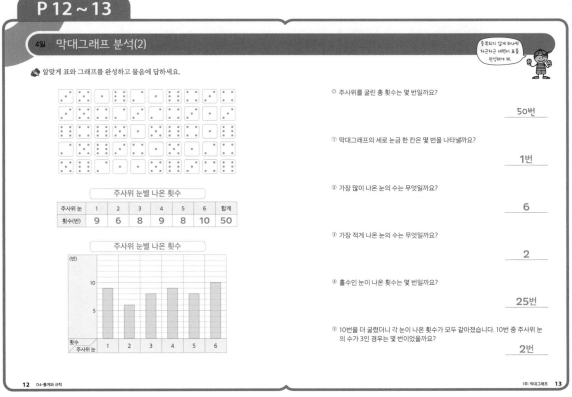

은우의 요일별 책을 읽은 쪽수

② 은우가 금요일에 읽은 책은 몇 쪽일까요?

**14쪽**

③ 월요일보다 많이 읽고, 금요일보다 적게 읽은 날은 언제일까요?

**화요일**

④ 은우가 수영장에 다녀온 다음 날 몸살이 나서 책을 읽지 못했습니다. 수영장에 다녀온 날은 언제일까요?

**수요일**

막대그래프를 그리고 물음에 답하세요.

좋아하는 색깔별 학생 수

| 색깔 | 빨강 | 노랑 | 초록 | 파랑 | 보라 | 합계 |
|---|---|---|---|---|---|---|
| 학생 수(명) | 18 | 7 | 11 | 8 | 6 | 50 |

① 좋아하는 색깔별 학생 수

② 파란색을 좋아하는 학생은 몇 명일까요?

**8명**

③ 노란색과 초록색을 좋아하는 학생 수와 같은 수의 학생들이 좋아하는 색깔은 무엇일까요?

**빨강**

④ 빨간색을 좋아하는 학생 중 절반은 주황색을 좋아하지만 선택지에 없어서 빨간색을 선택했습니다. 주황색을 좋아하는 학생은 몇 명일까요?

**9명**

## P 12 ~ 13

### 4일 막대그래프 분석(2)

알맞게 표와 그래프를 완성하고 물음에 답하세요.

주사위 눈별 나온 횟수

| 주사위 눈 | 1 | 2 | 3 | 4 | 5 | 6 | 합계 |
|---|---|---|---|---|---|---|---|
| 횟수(번) | 9 | 6 | 8 | 9 | 8 | 10 | 50 |

주사위 눈별 나온 횟수

⓪ 주사위를 굴린 총 횟수는 몇 번일까요?

**50번**

① 막대그래프의 세로 눈금 한 칸은 몇 번을 나타낼까요?

**1번**

② 가장 많이 나온 눈의 수는 무엇일까요?

**6**

③ 가장 적게 나온 눈의 수는 무엇일까요?

**2**

④ 홀수인 눈이 나온 횟수는 몇 번일까요?

**25번**

⑤ 10번을 더 굴렸더니 각 눈이 나온 횟수가 모두 같아졌습니다. 10번 중 주사위 눈의 수가 3인 경우는 몇 번이었을까요?

**2번**

## P 14 ~ 15

### 5일  막대그래프 비교

두 그래프가 어떤 점에서 차이나는지 꼼꼼하게 살펴보자.

❀ 그래프를 보고 바르게 설명한 것은 ○표, 잘못 설명한 것은 ×표 하세요.

장래 희망별 학생 수(2000년)

장래 희망별 학생 수(2020년)

◇ 2000년에 가장 많은 학생들이 희망하는 직업은 연예인입니다. ○

① 2020년에 공무원을 희망하는 학생은 12명입니다. ○

② 네 직업 중 2000년에 가장 인기 없었던 것은 교사입니다. ×

③ 20년 사이에 학생 수가 가장 많이 늘어난 장래 희망은 의사입니다. ○

④ 20년 사이에 연예인이 되고 싶은 학생들이 늘어났습니다. ×

❀ 같은 조사를 여름과 겨울에 한 번씩 한 결과입니다. 물음에 답하세요.

좋아하는 계절별 학생 수(여름)

좋아하는 계절별 학생 수(겨울)

◇ 여름에 조사했을 때 여름을 좋아하는 학생은 몇 명일까요?
8명

① 여름에 조사했을 때 가장 많은 학생들이 좋아하는 계절은 무엇일까요?
가을

② 여름에 비해 겨울에 좋아하는 학생 수가 늘어나는 계절은 무엇일까요?
봄 , 여름

③ 조사한 계절에 따라 결과가 다르게 나타나는 이유를 설명해 보세요.
여름은 더워서 시원한 가을과 겨울을 더 좋아하고,
겨울은 추워서 따뜻한 봄과 여름을 더 좋아합니다.

## P 16 ~ 17

### 확인학습

✎ 다음 막대그래프를 보고 물음에 답하세요.

학생별 모은 칭찬 스티커 수

① 세로 눈금 한 칸은 스티커 몇 장을 나타낼까요?
2장

② 모은 칭찬 스티커 수가 두 번째로 적은 사람은 누구일까요?
미래

③ 미래와 민준이가 모은 스티커를 더한 만큼 모은 사람은 누구일까요?
호영

④ 5명이 모은 칭찬 스티커는 모두 몇 장일까요?
72장

✎ 막대그래프를 그리고 물음에 답하세요.

반장 선거 후보별 득표 수

| 후보 | 김선우 | 나현아 | 박수민 | 송은지 | 이지예 | 합계 |
|------|--------|--------|--------|--------|--------|------|
| 득표 수(표) | 8 | 6 | 14 | 21 | 5 | 54 |

⑤

반장 선거 후보별 득표 수

⑥ 박수민 후보가 얻은 표는 몇 표일까요?
14표

⑦ 반장이 된 것은 누구일까요?
송은지

⑧ 반 학생들이 한 사람당 2표씩 투표했습니다. 학생 수는 모두 몇 명일까요?
27명

## P 18

### 확인학습

✎ 그래프를 보고 바르게 설명한 것은 ○표, 잘못 설명한 것은 ×표 하세요.

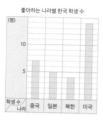
좋아하는 나라별 한국 학생 수

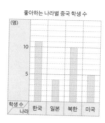
좋아하는 나라별 중국 학생 수

⑨ 두 나라 모두 각각 30명을 대상으로 조사했습니다. ○

⑩ 가장 많은 한국 학생들이 좋아하는 나라는 중국입니다. ×

⑪ 한국 학생보다 중국 학생들이 북한을 더 좋아합니다. ○

⑫ 두 나라의 학생 수를 더했을 때 가장 인기 없는 나라는 북한입니다. ×

⑬ 좋아하는 나라별 학생 수가 가장 많이 차이나는 나라는 미국입니다. ○

## P 20 ~ 21

### 1일 수 배열 규칙(1)

가로와 세로에 일정한 규칙으로 수가 배열된 것을 수 배열표라고 해.

✿ 수 배열에서 규칙을 찾아 설명하세요.

○

| 3007 | 3107 | 3207 | 3307 | 3407 | 3507 |

규칙 __3007__ 부터 시작하여 오른쪽으로 __100__ 씩 커집니다.

①

| 8650 | 7650 | 6650 | 5650 | 4650 | 3650 |

규칙 __8650__ 부터 시작하여 오른쪽으로 __1000__ 씩 작아집니다.

②

| 2325 | 2335 | 2345 | 2355 | 2365 | 2375 |

규칙 __2375__ 부터 시작하여 왼쪽으로 __10__ 씩 작아집니다.

③

| 1542 | 1442 | 1342 | 1242 | 1142 | 1042 |

규칙 __1042__ 부터 시작하여 왼쪽으로 __100__ 씩 커집니다.

✿ 수 배열표를 보고 물음에 답하세요.

| 2002 | 2102 | 2202 | 2302 | 2402 |
| 3002 | 3102 | 3202 | 3302 | 3402 |
| 4002 | 4102 | 4202 | 4302 | 4402 |
| 5002 | 5102 | 5202 | 5302 | 5402 |
| 6002 | 6102 | 6202 | 6302 | 6402 |

○ 가로줄의 규칙을 찾아 설명하세요.

규칙 2002부터 시작하여 오른쪽으로 __100__ 씩 커집니다.

규칙 6402부터 시작하여 왼쪽으로 __100__ 씩 작아집니다.

① 세로줄의 규칙을 찾아 설명하세요.

규칙 2002부터 시작하여 아래쪽으로 __1000__ 씩 커집니다.

규칙 6402부터 시작하여 위쪽으로 __1000__ 씩 작아집니다.

② 색칠된 칸의 규칙을 찾아 설명하세요.

규칙 2002부터 시작하여 오른쪽 아래로 __1100__ 씩 커집니다.

규칙 6402부터 시작하여 왼쪽 위로 __1100__ 씩 작아집니다.

## P 22 ~ 23

### 2일 수 배열 규칙(2)

각 자리 숫자가 커지거나 작아지는 규칙을 찾아보자.

✿ 수 배열표를 보고 물음에 답하세요.

| 13531 | 13541 | 13551 | 13561 | 13571 |
| 23531 | 23541 | 23551 | 23561 | 23571 |
| 33531 | 33541 | 33551 | 33561 | 33571 |
| 43531 | 43541 | 43551 | 43561 | 43571 |
| 53531 | 53541 | 53551 | 53561 | 53571 |

○ 가로줄의 규칙을 찾아 설명하세요.

규칙 13531부터 시작하여 오른쪽으로 __10씩 커집니다.__

① 세로줄의 규칙을 찾아 설명하세요.

규칙 13531부터 시작하여 아래쪽으로 __10000씩 커집니다.__

② 색칠된 칸의 규칙을 찾아 설명하세요.

규칙 13531부터 시작하여 오른쪽 아래로 __10010씩 커집니다.__

③ 연두색으로 색칠된 칸에 알맞은 수를 구하세요.

__63581__

✿ 수 배열에서 규칙을 찾고 빈칸에 알맞은 수를 써넣으세요.

○

| 2020 | 3021 | 4022 | 5023 | 6024 | 7025 |

규칙 2020부터 시작하여 __1001씩 커집니다.__

①

| 7381 | 6371 | 5361 | 4351 | 3341 | 2331 |

규칙 7381부터 시작하여 __1010씩 작아집니다.__

②

| 80895 | 70795 | 60695 | 50595 | 40495 | 30395 |

규칙 80895부터 시작하여 __10100씩 작아집니다.__

③

| 12421 | 23431 | 34441 | 45451 | 56461 | 67471 |

규칙 12421부터 시작하여 __11010씩 커집니다.__

## P 24 ~ 25

### 3일 수 배열 규칙(3)

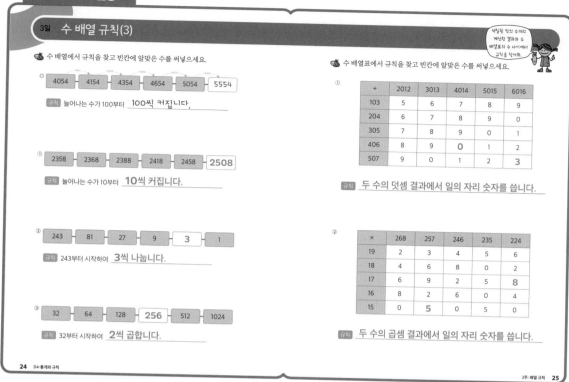

수 배열에서 규칙을 찾고 빈칸에 알맞은 수를 써넣으세요.

○ | 4054 | 4154 | 4354 | 4654 | 5054 | **5554** |

규칙 늘어나는 수가 100부터 **100씩 커집니다.**

① | 2358 | 2368 | 2388 | 2418 | 2458 | **2508** |

규칙 늘어나는 수가 10부터 **10씩 커집니다.**

② | 243 | 81 | 27 | 9 | **3** | 1 |

규칙 243부터 시작하여 **3**씩 나눕니다.

③ | 32 | 64 | 128 | **256** | 512 | 1024 |

규칙 32부터 시작하여 **2**씩 곱합니다.

수 배열표에서 규칙을 찾고 빈칸에 알맞은 수를 써넣으세요.

①

| + | 2012 | 3013 | 4014 | 5015 | 6016 |
|---|---|---|---|---|---|
| 103 | 5 | 6 | 7 | 8 | 9 |
| 204 | 6 | 7 | 8 | 9 | 0 |
| 305 | 7 | 8 | 9 | 0 | 1 |
| 406 | 8 | 9 | 0 | 1 | 2 |
| 507 | 9 | 0 | 1 | 2 | 3 |

규칙 **두 수의 덧셈 결과에서 일의 자리 숫자를 씁니다.**

②

| × | 268 | 257 | 246 | 235 | 224 |
|---|---|---|---|---|---|
| 19 | 2 | 3 | 4 | 5 | 6 |
| 18 | 4 | 6 | 8 | 0 | 2 |
| 17 | 6 | 9 | 2 | 5 | 8 |
| 16 | 8 | 2 | 6 | 0 | 4 |
| 15 | 0 | 5 | 0 | 5 | 0 |

규칙 **두 수의 곱셈 결과에서 일의 자리 숫자를 씁니다.**

## P 26 ~ 27

### 4일 도형 배열 규칙(1)

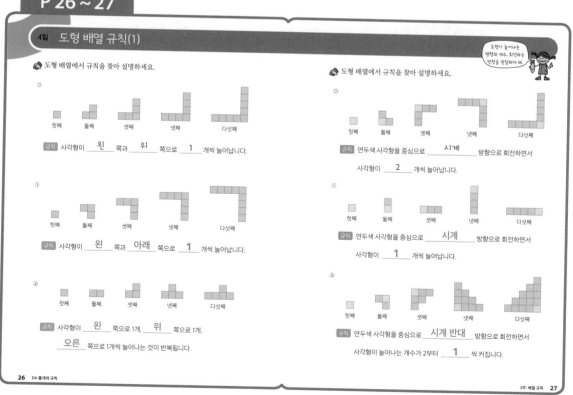

도형 배열에서 규칙을 찾아 설명하세요.

○ 첫째 둘째 셋째 넷째 다섯째

규칙 사각형이 **왼** 쪽과 **위** 쪽으로 **1** 개씩 늘어납니다.

① 첫째 둘째 셋째 넷째 다섯째

규칙 사각형이 **왼** 쪽과 **아래** 쪽으로 **1** 개씩 늘어납니다.

② 첫째 둘째 셋째 넷째 다섯째

규칙 사각형이 **왼** 쪽으로 1개, **위** 쪽으로 1개, **오른** 쪽으로 1개씩 늘어나는 것이 반복됩니다.

도형 배열에서 규칙을 찾아 설명하세요.

○ 첫째 둘째 셋째 넷째 다섯째

규칙 연두색 사각형을 중심으로 **시계** 방향으로 회전하면서 사각형이 **2** 개씩 늘어납니다.

① 첫째 둘째 셋째 넷째 다섯째

규칙 연두색 사각형을 중심으로 **시계** 방향으로 회전하면서 사각형이 **1** 개씩 늘어납니다.

② 첫째 둘째 셋째 넷째 다섯째

규칙 연두색 사각형을 중심으로 **시계 반대** 방향으로 회전하면서 사각형이 늘어나는 개수가 2부터 **1** 씩 커집니다.

## P 28 ~ 29

### 5일 도형 배열 규칙(2)

❀ 다섯째에 알맞은 모양을 그리고 빈칸에 사각형의 개수를 써넣으세요.

❀ 규칙을 찾아 다섯째에 알맞은 사각형의 개수를 구하세요.

사각형의 개수가 늘어나는 규칙을 찾아 설명해 보자.

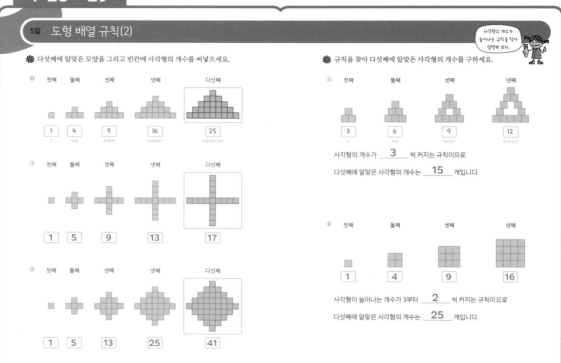

① 사각형의 개수가 __3__ 씩 커지는 규칙이므로

다섯째에 알맞은 사각형의 개수는 __15__ 개입니다.

② 사각형이 늘어나는 개수가 3부터 __2__ 씩 커지는 규칙이므로

다섯째에 알맞은 사각형의 개수는 __25__ 개입니다.

## P 30 ~ 31

### 확인학습

✏ 수 배열표를 보고 물음에 답하세요.

| 20107 | 30107 | 40107 | 50107 | 60107 |
| 20106 | 30106 | 40106 | 50106 | 60106 |
| 20105 | 30105 | 40105 | 50105 | 60105 |
| 20104 | 30104 | 40104 | 50104 | 60104 |
| 20103 | 30103 | 40103 | 50103 | 60103 |

① 가로줄의 규칙을 찾아 설명하세요.

규칙 20103부터 시작하여 오른쪽으로 **10000**씩 커집니다.

② 세로줄의 규칙을 찾아 설명하세요.

규칙 20103부터 시작하여 위쪽으로 **1**씩 커집니다.

③ 색칠된 칸의 규칙을 찾아 설명하세요.

규칙 20103부터 시작하여 오른쪽 위로 **10001**씩 커집니다.

④ 연두색으로 색칠된 칸에 알맞은 수를 구하세요.

**70108**

✏ 수 배열표에서 규칙을 찾고 빈칸에 알맞은 수를 써넣으세요.

⑤

| −   | 3443 | 4444 | 5445 | 6446 | 7447 |
|-----|------|------|------|------|------|
| 365 | 8    | 9    | 0    | 1    | 2    |
| 466 | 7    | 8    | 9    | 0    | 1    |
| 567 | 6    | 7    | 8    | 9    | 0    |
| 668 | 5    | 6    | 7    | 8    | 9    |
| 769 | 4    | 5    | 6    | 7    | 8    |

규칙 두 수의 뺄셈 결과에서 일의 자리 숫자를 씁니다.

⑥

| ÷ | 144 | 143 | 142 | 141 | 140 |
|---|-----|-----|-----|-----|-----|
| 3 | 0   | 2   | 1   | 0   | 2   |
| 4 | 0   | 3   | 2   | 1   | 0   |
| 5 | 4   | 3   | 2   | 1   | 0   |
| 6 | 0   | 5   | 4   | 3   | 2   |
| 7 | 4   | 3   | 2   | 1   | 0   |

규칙 두 수의 나눗셈 결과에서 나머지를 씁니다.

## P 32

### 확인학습

✎ 규칙을 찾아 다섯째에 알맞은 사각형의 개수를 구하세요.

⑦

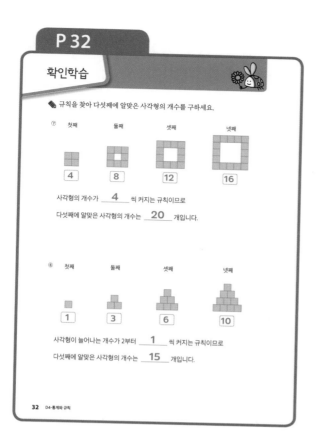

| 첫째 | 둘째 | 셋째 | 넷째 |
|------|------|------|------|
| 4 | 8 | 12 | 16 |

사각형의 개수가 ___4___ 씩 커지는 규칙이므로

다섯째에 알맞은 사각형의 개수는 ___20___ 개입니다.

⑧

| 첫째 | 둘째 | 셋째 | 넷째 |
|------|------|------|------|
| 1 | 3 | 6 | 10 |

사각형이 늘어나는 개수가 2부터 ___1___ 씩 커지는 규칙이므로

다섯째에 알맞은 사각형의 개수는 ___15___ 개입니다.

# 계산 규칙

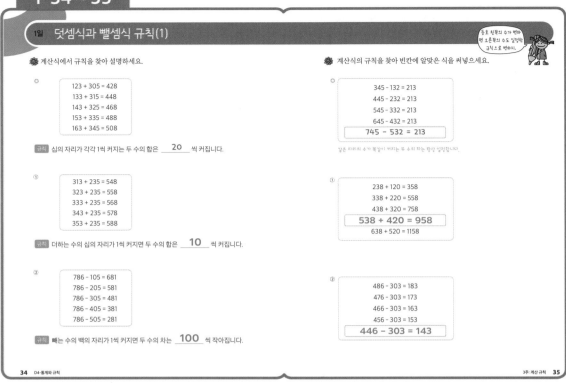

### 1일 덧셈식과 뺄셈식 규칙(1)

두 오른쪽의 수가 변하면 오른쪽의 수도 일정한 규칙으로 변하지.

★ 계산식에서 규칙을 찾아 설명하세요.

○
123 + 305 = 428
133 + 315 = 448
143 + 325 = 468
153 + 335 = 488
163 + 345 = 508

규칙 십의 자리가 각각 1씩 커지는 두 수의 합은 __20__ 씩 커집니다.

①
313 + 235 = 548
323 + 235 = 558
333 + 235 = 568
343 + 235 = 578
353 + 235 = 588

규칙 더하는 수의 십의 자리가 1씩 커지면 두 수의 합은 __10__ 씩 커집니다.

②
786 - 105 = 681
786 - 205 = 581
786 - 305 = 481
786 - 405 = 381
786 - 505 = 281

규칙 빼는 수의 백의 자리가 1씩 커지면 두 수의 차는 __100__ 씩 작아집니다.

★ 계산식의 규칙을 찾아 빈칸에 알맞은 식을 써넣으세요.

○
345 - 132 = 213
445 - 232 = 213
545 - 332 = 213
645 - 432 = 213
**745 - 532 = 213**

같은 자리의 수가 똑같이 커지는 두 수의 차는 항상 일정합니다.

①
238 + 120 = 358
338 + 220 = 558
438 + 320 = 758
**538 + 420 = 958**
638 + 520 = 1158

②
486 - 303 = 183
476 - 303 = 173
466 - 303 = 163
456 - 303 = 153
**446 - 303 = 143**

### 2일 덧셈식과 뺄셈식 규칙(2)

더하거나 빼는 수와 계산 결과 사이에서 규칙을 발견해야 해.

★ 계산식의 규칙을 찾아 빈칸에 알맞은 식을 써넣으세요.

○
3000 + 9000 = 12000
13000 + 9000 = 22000
23000 + 9000 = 32000
33000 + 9000 = 42000
**43000 + 9000 = 52000**

더하는 수의 만의 자리가 1씩 커지면 두 수의 합은 10000씩 커집니다.

①
98765 - 2000 = 96765
98765 - 3000 = 95765
98765 - 4000 = 94765
**98765 - 5000 = 93765**
98765 - 6000 = 92765

②
43000 + 7000 = 50000
33000 + 17000 = 50000
**23000 + 27000 = 50000**
13000 + 37000 = 50000
3000 + 47000 = 50000

★ 규칙적인 계산식을 보고 물음에 답하세요.

| 순서 | 계산식 |
|------|--------|
| 첫째 | 1400 - 200 + 600 = 1800 |
| 둘째 | 1500 - 300 + 700 = 1900 |
| 셋째 | 1600 - 400 + 800 = 2000 |
| 넷째 | 1700 - 500 + 900 = 2100 |
| 다섯째 | 1800 - 600 + 1000 = 2200 |

① 계산식의 규칙을 찾아 설명하세요.

규칙 더하는 수 2개가 각각 __100__ 씩 커지고, 빼는 수 1개가 __100__ 씩 커지면 계산 결과는 __100__ 씩 커집니다.

② 여섯째에 알맞은 계산식을 써 보세요.

식 : __1900 - 700 + 1100 = 2300__

③ 규칙에 따라 계산 결과가 2500인 계산식을 써 보세요.

식 : __2100 - 900 + 1300 = 2500__

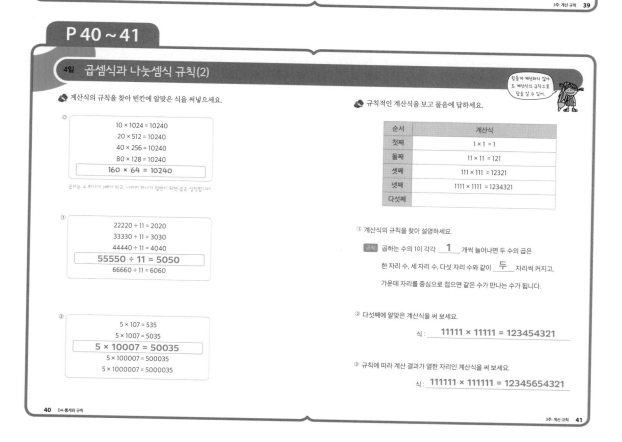

## P 38 ~ 39

### 3일 곱셈식과 나눗셈식 규칙(1)

🐝 계산식에서 규칙을 찾아 설명하세요.

◦
$$10 \times 11 = 110$$
$$20 \times 11 = 220$$
$$30 \times 11 = 330$$
$$40 \times 11 = 440$$
$$50 \times 11 = 550$$

규칙 11과 곱하는 수가 10씩 커지면 두 수의 곱은 __110__ 씩 커집니다.

①
$$12 \times 100 = 1200$$
$$12 \times 200 = 2400$$
$$12 \times 300 = 3600$$
$$12 \times 400 = 4800$$
$$12 \times 500 = 6000$$

규칙 12와 곱하는 수가 100씩 커지면 두 수의 곱은 __1200__ 씩 커집니다.

②
$$100 \div 25 = 4$$
$$200 \div 25 = 8$$
$$400 \div 25 = 16$$
$$800 \div 25 = 32$$
$$1600 \div 25 = 64$$

규칙 나누어지는 수가 2배가 되면 몫은 __2__ 배가 됩니다.

🐝 계산식의 규칙을 찾아 빈칸에 알맞은 식을 써넣으세요.

$$66 \div 2 = 33$$
$$132 \div 4 = 33$$
$$198 \div 6 = 33$$
$$264 \div 8 = 33$$
$$\boxed{330 \div 10 = 33}$$

나누어지는 수가 2배, 3배, 4배로 커지는 나누는 수도 2배, 3배, 4배로커지면 몫은 일정합니다.

$$22 \times 100 = 2200$$
$$22 \times 200 = 4400$$
$$22 \times 300 = 6600$$
$$\boxed{22 \times 400 = 8800}$$
$$22 \times 500 = 11000$$

$$2222 \div 101 = 22$$
$$3333 \div 101 = 33$$
$$4444 \div 101 = 44$$
$$\boxed{5555 \div 101 = 55}$$
$$6666 \div 101 = 66$$

## P 40 ~ 41

### 4일 곱셈식과 나눗셈식 규칙(2)

🐝 계산식의 규칙을 찾아 빈칸에 알맞은 식을 써넣으세요.

◦
$$10 \times 1024 = 10240$$
$$20 \times 512 = 10240$$
$$40 \times 256 = 10240$$
$$80 \times 128 = 10240$$
$$\boxed{160 \times 64 = 10240}$$

곱하는 수 하나가 2배가 되고, 나머지 하나가 절반이 되면 곱은 일정합니다.

①
$$22220 \div 11 = 2020$$
$$33330 \div 11 = 3030$$
$$44440 \div 11 = 4040$$
$$\boxed{55550 \div 11 = 5050}$$
$$66660 \div 11 = 6060$$

②
$$5 \times 107 = 535$$
$$5 \times 1007 = 5035$$
$$\boxed{5 \times 10007 = 50035}$$
$$5 \times 100007 = 500035$$
$$5 \times 1000007 = 5000035$$

🐝 규칙적인 계산식을 보고 물음에 답하세요.

| 순서 | 계산식 |
|---|---|
| 첫째 | $1 \times 1 = 1$ |
| 둘째 | $11 \times 11 = 121$ |
| 셋째 | $111 \times 111 = 12321$ |
| 넷째 | $1111 \times 1111 = 1234321$ |
| 다섯째 | |

① 계산식의 규칙을 찾아 설명하세요.

규칙 곱하는 수의 1이 각각 __1__ 개씩 늘어나면 두 수의 곱은

한 자리 수, 세 자리 수, 다섯 자리 수와 같이 __두__ 자리씩 커지고,

가운데 자리를 중심으로 접으면 같은 수가 만나는 수가 됩니다.

② 다섯째에 알맞은 계산식을 써 보세요.

식 : __$11111 \times 11111 = 123454321$__

③ 규칙에 따라 계산 결과가 열한 자리인 계산식을 써 보세요.

식 : __$111111 \times 111111 = 12345654321$__

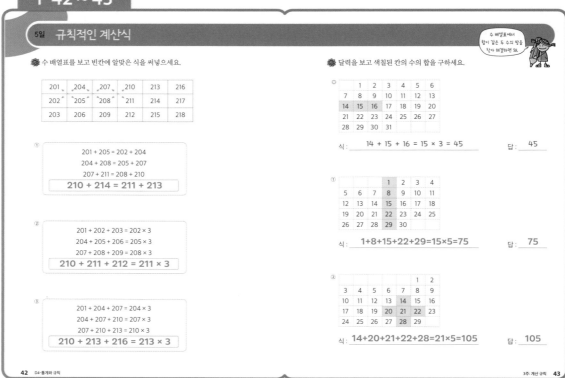

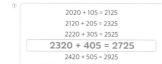

# 계산 규칙

## P 42 ~ 43

### 5일 규칙적인 계산식

수 배열표에서 합이 같은 두 수의 짝을 찾아 비교하면 돼.

※ 수 배열표를 보고 빈칸에 알맞은 식을 써넣으세요.

| 201 | 204 | 207 | 210 | 213 | 216 |
|-----|-----|-----|-----|-----|-----|
| 202 | 205 | 208 | 211 | 214 | 217 |
| 203 | 206 | 209 | 212 | 215 | 218 |

①
201 + 205 = 202 + 204
204 + 208 = 205 + 207
207 + 211 = 208 + 210
**210 + 214 = 211 + 213**

②
201 + 202 + 203 = 202 × 3
204 + 205 + 206 = 205 × 3
207 + 208 + 209 = 208 × 3
**210 + 211 + 212 = 211 × 3**

③
201 + 204 + 207 = 204 × 3
204 + 207 + 210 = 207 × 3
207 + 210 + 213 = 210 × 3
**210 + 213 + 216 = 213 × 3**

※ 달력을 보고 색칠된 칸의 수의 합을 구하세요.

○
| 1 | 2 | 3 | 4 | 5 | 6 |
|---|---|---|---|---|---|
| 7 | 8 | 9 | 10 | 11 | 12 | 13 |
| 14 | 15 | 16 | 17 | 18 | 19 | 20 |
| 21 | 22 | 23 | 24 | 25 | 26 | 27 |
| 28 | 29 | 30 | 31 | | | |

식 : 14 + 15 + 16 = 15 × 3 = 45    답 : 45

①
| | | 1 | 2 | 3 | 4 |
|---|---|---|---|---|---|
| 5 | 6 | 7 | 8 | 9 | 10 | 11 |
| 12 | 13 | 14 | 15 | 16 | 17 | 18 |
| 19 | 20 | 21 | 22 | 23 | 24 | 25 |
| 26 | 27 | 28 | 29 | 30 | | |

식 : 1+8+15+22+29=15×5=75    답 : 75

②
| | | | | 1 | 2 |
|---|---|---|---|---|---|
| 3 | 4 | 5 | 6 | 7 | 8 | 9 |
| 10 | 11 | 12 | 13 | 14 | 15 | 16 |
| 17 | 18 | 19 | 20 | 21 | 22 | 23 |
| 24 | 25 | 26 | 27 | 28 | 29 | |

식 : 14+20+21+22+28=21×5=105    답 : 105

## P 44 ~ 45

### 확인학습

✏️ 계산식의 규칙을 찾아 빈칸에 알맞은 식을 써넣으세요.

①
2020 + 105 = 2125
2120 + 205 = 2325
2220 + 305 = 2525
**2320 + 405 = 2725**
2420 + 505 = 2925

②
9700 - 200 = 9500
8700 - 1200 = 7500
**7700 - 2200 = 5500**
6700 - 3200 = 3500
5700 - 4200 = 1500

③
12000 + 3000 = 15000
22000 + 4000 = 26000
32000 + 5000 = 37000
42000 + 6000 = 48000
**52000 + 7000 = 59000**

✏️ 규칙적인 계산식을 보고 물음에 답하세요.

| 순서 | 계산식 |
|------|--------|
| 첫째 | 1 × 9 + 1 = 10 |
| 둘째 | 21 × 9 + 11 = 200 |
| 셋째 | 321 × 9 + 111 = 3000 |
| 넷째 | 4321 × 9 + 1111 = 40000 |
| 다섯째 | |

④ 계산식의 규칙을 찾아 설명하세요.

규칙 1, 21, 321……과 같이 자릿수가 하나씩 늘어난 수에 9를 곱하고,

1, 11, 111……과 같이 1이 **1** 개씩 늘어나는 수를 더하면 계산 결과는

자릿수가 하나씩 늘어나면서 가장 높은 자리 수가 **1** 씩 커집니다.

⑤ 다섯째에 알맞은 계산식을 써 보세요.

식 : **54321 × 9 + 11111 = 500000**

⑥ 규칙에 따라 계산 결과가 6000000인 계산식을 써 보세요.

식 : **654321 × 9 + 111111 = 6000000**

## P 46

### 확인학습

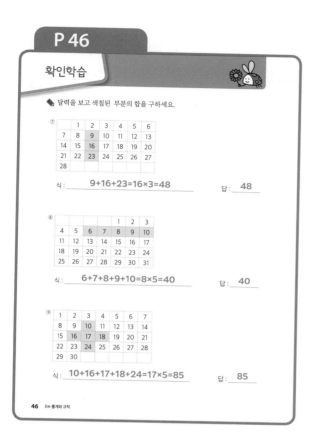

달력을 보고 색칠된 부분의 합을 구하세요.

⑦

| 1 | 2 | 3 | 4 | 5 | 6 |
|---|---|---|---|---|---|
| 7 | 8 | 9 | 10 | 11 | 12 | 13 |
| 14 | 15 | 16 | 17 | 18 | 19 | 20 |
| 21 | 22 | 23 | 24 | 25 | 26 | 27 |
| 28 | | | | | | |

식 :  9+16+23=16×3=48        답 :  48

⑧

| | | | 1 | 2 | 3 |
|---|---|---|---|---|---|
| 4 | 5 | 6 | 7 | 8 | 9 | 10 |
| 11 | 12 | 13 | 14 | 15 | 16 | 17 |
| 18 | 19 | 20 | 21 | 22 | 23 | 24 |
| 25 | 26 | 27 | 28 | 29 | 30 | 31 |

식 :  6+7+8+9+10=8×5=40        답 :  40

⑨

| 1 | 2 | 3 | 4 | 5 | 6 | 7 |
|---|---|---|---|---|---|---|
| 8 | 9 | 10 | 11 | 12 | 13 | 14 |
| 15 | 16 | 17 | 18 | 19 | 20 | 21 |
| 22 | 23 | 24 | 25 | 26 | 27 | 28 |
| 29 | 30 | | | | | |

식 :  10+16+17+18+24=17×5=85        답 :  85

# 꺾은선그래프

## P 48 ~ 49

### 1일 막대그래프와 꺾은선그래프

수량을 점으로 표시하고 점들을 이어 그린 것을 꺾은선그래프라고 해.

❀ 다음 그래프를 보고 물음에 답하세요.

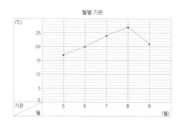

◎ 위와 같은 그래프를 무슨 그래프라고 할까요?

**꺾은선그래프**

① 꺾은선그래프의 가로와 세로는 각각 무엇을 나타낼까요?

**월** , **기온**

② 꺾은선은 무엇을 나타낼까요?

**월별 기온의 변화**

③ 꺾은선그래프에서 세로 눈금 한 칸은 몇 ℃를 나타낼까요?

**1 ℃**

❀ 다음 두 그래프를 보고 물음에 답하세요.

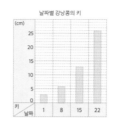

① 두 그래프에서 세로 눈금 한 칸은 몇 cm를 나타낼까요?

**1 cm**

② 날짜별 강낭콩의 키를 한눈에 알아보기 쉬운 그래프는 어느 것일까요?

**막대그래프**

③ 강낭콩의 키의 변화를 한눈에 알아보기 쉬운 그래프는 어느 것일까요?

**꺾은선그래프**

## P 50 ~ 51

### 2일 꺾은선그래프 분석

그래프에서 가로와 세로가 각각 무엇을 나타내는지 알아내야 해.

🌸 다음 꺾은선그래프를 보고 물음에 답하세요.

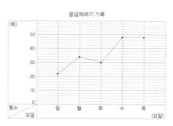

◎ 꺾은선그래프의 가로와 세로는 각각 무엇을 나타낼까요?

**요일** , **횟수**

① 세로 눈금 한 칸은 몇 회를 나타낼까요?

**2회**

② 팔굽혀펴기를 가장 많이 한 날은 몇 회 했을까요?

**48회**

③ 팔굽혀펴기 횟수가 전날에 비해 줄어든 날은 무슨 요일일까요?

**화요일**

🌸 다음 꺾은선그래프를 보고 물음에 답하세요.

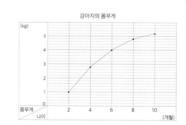

① 꺾은선그래프의 세로 눈금 한 칸은 몇 kg를 나타낼까요?

**0.2 kg**

② 몸무게가 두 달 전에 비해 가장 많이 늘어났을 때는 생후 몇 개월 때인가요?

**4개월**

③ 그래프를 보고 빈칸에 몸무게를 알맞게 써넣으세요.

강아지의 몸무게

| 나이(개월) | 2 | 4 | 6 | 8 | 10 |
|---|---|---|---|---|---|
| 몸무게(kg) | 1 | 2.8 | 4 | 4.8 | 5.2 |

## P 52 ~ 53

### 3일 꺾은선그래프 그리기

꺾은선그래프를 그리고 물음에 답하세요.

세로 눈금 한 칸을 어떤 값으로 할지 결정해야 해.

피아노 연습을 한 시간

| 날짜(일) | 1 | 2 | 3 | 4 | 5 |
|---|---|---|---|---|---|
| 시간(분) | 24 | 38 | 42 | 56 | 30 |

①
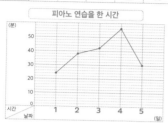

② 세로 눈금 한 칸은 몇 분을 나타낼까요?

**2분**

③ 피아노 연습을 한 시간이 전날에 비해 줄어든 날은 언제일까요?

**5일**

④ 1일에서 2일 사이에 피아노 연습을 한 시간은 몇 분 늘어났을까요?

**14분**

꺾은선그래프를 그리고 물음에 답하세요.

매년 6월에 잰 현민이의 키

| 나이(살) | 7 | 8 | 9 | 10 | 11 |
|---|---|---|---|---|---|
| 키(cm) | 122 | 127 | 133 | 137 | 144 |

①

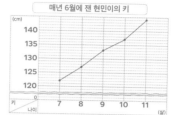

② 세로 눈금 한 칸은 몇 cm를 나타내어야 할까요?

**1 cm**

③ 현민이의 키가 가장 많이 자란 때는 몇 살과 몇 살 사이일까요?

**10살과 11살 사이**

④ 현민이가 8살이던 해의 12월에 현민이의 키는 약 몇 cm였을까요?

**130 cm**

## P 54 ~ 55

### 4일 물결선이 있는 꺾은선그래프

물결선을 이용하면 자료값의 변화를 더 쉽게 관찰할 수 있어.

표를 보고 2가지 꺾은선그래프를 그리고 물음에 답하세요.

연평균 기온 변화

| 연도(년) | 1980 | 1990 | 2000 | 2010 | 2020 |
|---|---|---|---|---|---|
| 기온(℃) | 14 | 13.7 | 13.5 | 13 | 12.4 |

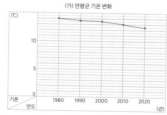

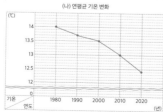

◎ 두 그래프의 차이점을 설명하세요.

**그래프 (가)는 물결선이 없고, (나)는 물결선이 있습니다.**

① 1980년부터 2020년까지 연평균 기온은 어떻게 변하고 있을까요?

**점점 낮아지고 있습니다.**

② 연평균 기온이 가장 많이 떨어진 것은 몇 년과 몇 년 사이일까요?

**2010년과 2020년 사이**

③ 2015년의 연평균 기온은 약 몇 ℃였을까요?

**12.7 ℃**

④ 두 그래프 중 연평균 기온의 변화를 더 뚜렷하게 알 수 있는 것은 어느 것일까요?

**(나)**

⑤ 2030년의 연평균 기온은 어떻게 될지 예상해 보세요.

**연평균 기온이 12.4 ℃보다 낮을 것으로 예상됩니다.**

P 56 ~ 57

### 5일 꺾은선그래프 비교

두 그래프에서 수량의 변화를 각각 관찰하여 비교해 봐.

🌸 그래프를 보고 바르게 설명한 것은 ○표, 잘못 설명한 것은 ✕표 하세요.

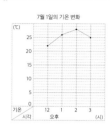

7월 1일의 기온 변화

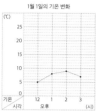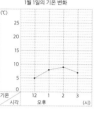

1월 1일의 기온 변화

○ 7월 1일 정오의 기온은 24 ℃였습니다.　　✕

① 1월 1일에 기온이 가장 높았던 시각은 오후 2시였습니다.　　○

② 기온의 변화 폭은 1월 1일이 7월 1일보다 더 큽니다.　　✕

③ 1월 1일과 7월 1일의 최고 기온 차는 19 ℃입니다.　　○

④ 두 그래프 모두 기온 변화가 가장 큰 때는 12시에서 오후 1시 사이입니다.　　○

🌸 꺾은선그래프를 보고 물음에 답하세요.

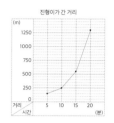

진형이가 간 거리

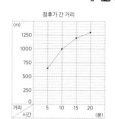

정후가 간 거리

○ 세로 눈금 한 칸은 몇 m를 나타낼까요?
**50 m**

① 정후가 출발한 지 5분에서 10분 사이에 간 거리는 몇 m일까요?
**350m**

② 처음에는 천천히 가다가 나중에는 빠르게 간 사람은 누구일까요?
**진형**

③ 출발한 지 15분 동안 두 사람이 간 거리의 차는 몇 m일까요?
**650m**

P 58 ~ 59

### 확인학습

✏️ 다음 꺾은선그래프를 보고 물음에 답하세요.

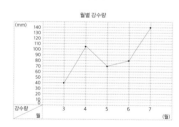

월별 강수량

① 꺾은선그래프의 가로와 세로는 각각 무엇을 나타낼까요?
**월** , **강수량**

② 세로 눈금 한 칸은 몇 mm를 나타낼까요?
**5 mm**

③ 3월부터 7월까지 비가 가장 많이 온 달은 언제일까요?
**7월**

④ 6월과 7월 사이에 강수량은 몇 mm 늘어났을까요?
**60 mm**

✏️ 꺾은선그래프를 그리고 물음에 답하세요.

매년 3월에 잰 서하의 몸무게

| 나이(살) | 8 | 9 | 10 | 11 | 12 |
|---|---|---|---|---|---|
| 몸무게(kg) | 23 | 28 | 31 | 36 | 42 |

⑤
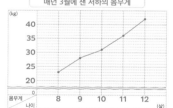

매년 3월에 잰 서하의 몸무게

⑥ 세로 눈금 한 칸은 몇 kg을 나타내어야 할까요?
**1 kg**

⑦ 서하의 몸무게가 가장 적게 늘어난 때는 몇 살과 몇 살 사이일까요?
**9살과 10살 사이**

⑧ 서하가 11살이던 해의 9월에 서하의 몸무게는 약 몇 kg이었을까요?
**39 kg**

## P 60

### 확인학습

✎ 그래프를 보고 바르게 설명한 것은 ○표, 잘못 설명한 것은 ×표 하세요.

정훈이의 몸무게 　　　　민형이의 몸무게

⑨ 세로 눈금 한 칸의 크기는 0.1 kg을 나타냅니다. ☒

⑩ 정훈이의 몸무게는 6월부터 9월까지 계속 늘어났습니다. ☒

⑪ 민형이의 몸무게가 가장 많이 빠진 곳은 6월과 7월 사이입니다. ○

⑫ 6월에 두 사람의 몸무게 차는 4 kg이었습니다. ○

⑬ 7월과 8월 사이에 정훈이의 몸무게는 2.2 kg 늘었습니다. ☒

## P62 ~ 63

제한 시간 15분
맞은 개수 / 6개

✎ 다음 막대그래프를 보고 물음에 답하세요.

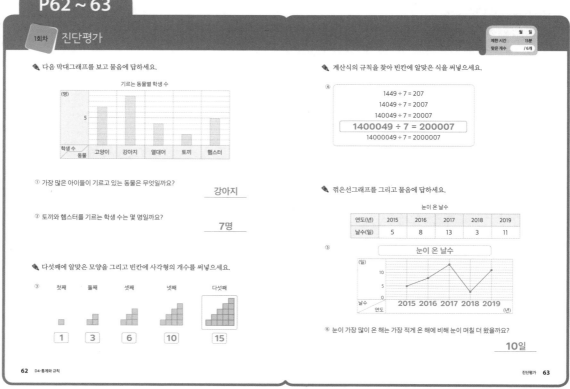

기르는 동물별 학생 수

① 가장 많은 아이들이 기르고 있는 동물은 무엇일까요?

**강아지**

② 토끼와 햄스터를 기르는 학생 수는 몇 명일까요?

**7명**

✎ 다섯째에 알맞은 모양을 그리고 빈칸에 사각형의 개수를 써넣으세요.

③ 첫째 둘째 셋째 넷째 다섯째

1  3  6  10  15

✎ 계산식의 규칙을 찾아 빈칸에 알맞은 식을 써넣으세요.

④
1449 ÷ 7 = 207
14049 ÷ 7 = 2007
140049 ÷ 7 = 20007
**1400049 ÷ 7 = 200007**
14000049 ÷ 7 = 2000007

✎ 꺾은선그래프를 그리고 물음에 답하세요.

눈이 온 날수

| 연도(년) | 2015 | 2016 | 2017 | 2018 | 2019 |
|---|---|---|---|---|---|
| 날수(일) | 5 | 8 | 13 | 3 | 11 |

⑤ 눈이 온 날수

⑥ 눈이 가장 많이 온 해는 가장 적게 온 해에 비해 눈이 며칠 더 왔을까요?

**10일**

## P 64 ~ 65

제한 시간 15분
맞은 개수 / 6개

✎ 다음 막대그래프를 보고 물음에 답하세요.

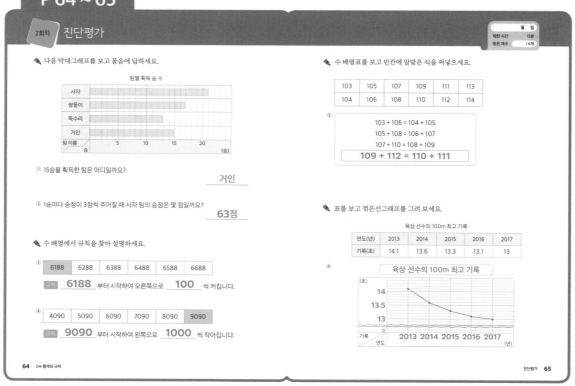

팀별 획득 승 수

① 15승을 획득한 팀은 어디일까요?

**거인**

② 1승마다 승점이 3점씩 주어질 때 사자 팀의 승점은 몇 점일까요?

**63점**

✎ 수 배열에서 규칙을 찾아 설명하세요.

③ | 6188 | 6288 | 6388 | 6488 | 6588 | 6688 |

규칙 **6188** 부터 시작하여 오른쪽으로 **100** 씩 커집니다.

④ | 4090 | 5090 | 6090 | 7090 | 8090 | 9090 |

규칙 **9090** 부터 시작하여 왼쪽으로 **1000** 씩 작아집니다.

✎ 수 배열표를 보고 빈칸에 알맞은 식을 써넣으세요.

| 103 | 105 | 107 | 109 | 111 | 113 |
|---|---|---|---|---|---|
| 104 | 106 | 108 | 110 | 112 | 114 |

⑤
103 + 106 = 104 + 105
105 + 108 = 106 + 107
107 + 110 = 108 + 109
**109 + 112 = 110 + 111**

✎ 표를 보고 꺾은선그래프를 그려 보세요.

육상 선수의 100m 최고 기록

| 연도(년) | 2013 | 2014 | 2015 | 2016 | 2017 |
|---|---|---|---|---|---|
| 기록(초) | 14.1 | 13.6 | 13.3 | 13.1 | 13 |

⑥ 육상 선수의 100m 최고 기록

## P 66 ~ 67

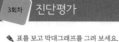

**3회차 진단평가**

| | 월 일 |
|---|---|
| 제한 시간 | 15분 |
| 맞은 개수 | / 6개 |

✏️ 표를 보고 막대그래프를 그려 보세요.

가고 싶은 나라별 학생 수

| 나라 | 일본 | 중국 | 캐나다 | 영국 | 미국 | 합계 |
|---|---|---|---|---|---|---|
| 학생 수(명) | 3 | 3 | 8 | 4 | 7 | 25 |

① 가고 싶은 나라별 학생 수

✏️ 수 배열에서 규칙을 찾아 빈칸에 알맞은 수를 써넣으세요.

② 9669 — 8658 — 7647 — 6636 — 5625 — **4614**

규칙 9669부터 시작하여 **1011**씩 작아집니다.

③ 93280 — 94281 — 95283 — 96284 — **97285** — 98286

규칙 93280부터 시작하여 **1001**씩 커집니다.

✏️ 계산식에서 규칙을 찾아 설명하세요.

④
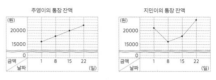

778 - 575 = 203
778 - 565 = 213
778 - 555 = 223
778 - 545 = 233
778 - 535 = 243

규칙 빼는 수의 십의 자리가 1씩 작아지면 두 수의 차는 **10** 씩 커집니다.

✏️ 다음 꺾은선그래프를 보고 물음에 답하세요.

⑤ 주영이는 매주 일정한 금액을 저금했습니다. 저금한 금액은 얼마일까요?

**2000원**

⑥ 두 사람의 통장 잔액 차가 가장 큰 날은 언제였을까요?

**1일**

## P 68 ~ 69

**4회차 진단평가**

| | 월 일 |
|---|---|
| 제한 시간 | 15분 |
| 맞은 개수 | / 7개 |

✏️ 표를 완성하고 막대그래프를 그려 보세요.

① 좋아하는 계절별 학생 수

| 계절 | 봄 | 여름 | 가을 | 겨울 | 합계 |
|---|---|---|---|---|---|
| 학생 수(명) | 8 | 14 | 10 | 3 | 35 |

② 좋아하는 계절별 학생 수

✏️ 수 배열에서 규칙을 찾아 빈칸에 알맞은 수를 써넣으세요.

③ 7432 — 7332 — 7132 — 6832 — 6432 — **5932**

규칙 줄어드는 수가 100부터 **100**씩 커집니다.

④ 4 — 12 — 36 — 108 — **324** — 972

규칙 4부터 시작하여 **3**씩 곱합니다.

✏️ 계산식의 규칙을 찾아 빈칸에 알맞은 식을 써넣으세요.

⑤
13456 - 2151 = 10305
14456 - 3151 = 10305
15456 - 4151 = 10305
**16456 - 5151 = 10305**
17456 - 6151 = 10305

✏️ 다음 꺾은선그래프를 보고 물음에 답하세요.

하루 동안의 기온

⑥ 꺾은선그래프에서 세로 눈금 한 칸은 몇 ℃를 나타낼까요?

**1 ℃**

⑦ 하루 중 가장 기온이 높을 때는 몇 시 정각일까요?

**1시**

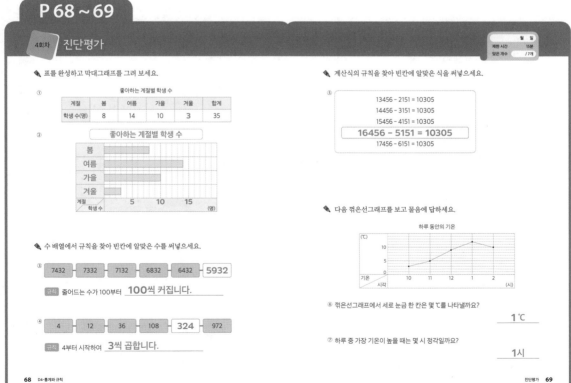

P 70 ~ 71

5회차 진단평가

제한 시간  15분
맞은 개수  / 6개

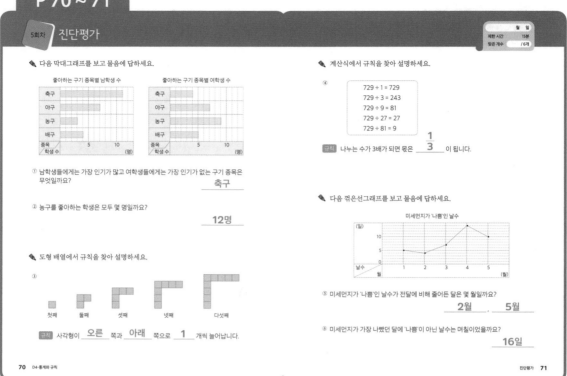

✎ 다음 막대그래프를 보고 물음에 답하세요.

좋아하는 구기 종목별 남학생 수

좋아하는 구기 종목별 여학생 수

① 남학생들에게는 가장 인기가 많고 여학생들에게는 가장 인기가 없는 구기 종목은 무엇일까요?

축구

② 농구를 좋아하는 학생은 모두 몇 명일까요?

12명

✎ 도형 배열에서 규칙을 찾아 설명하세요.

③

첫째   둘째   셋째   넷째   다섯째

규칙 사각형이 __오른__ 쪽과 __아래__ 쪽으로 __1__ 개씩 늘어납니다.

✎ 계산식에서 규칙을 찾아 설명하세요.

④

$$729 ÷ 1 = 729$$
$$729 ÷ 3 = 243$$
$$729 ÷ 9 = 81$$
$$729 ÷ 27 = 27$$
$$729 ÷ 81 = 9$$

규칙 나누는 수가 3배가 되면 몫은 $\dfrac{1}{3}$ 이 됩니다.

✎ 다음 꺾은선그래프를 보고 물음에 답하세요.

미세먼지가 '나쁨'인 날수

⑤ 미세먼지가 '나쁨'인 날수가 전달에 비해 줄어든 달은 몇 월일까요?

2월 , 5월

⑥ 미세먼지가 가장 나빴던 달에 '나쁨'이 아닌 날수는 며칠이었을까요?

16일

# "

# The essence of mathematics
# is its freedom.

# "

**"수학의 본질은 그 자유로움에 있다."**

*Georg Cantor, 게오르크 칸토어*